アフターコロナ

新しい時代の新常識

最初に

２０２０年新春、オリンピック開催に湧く日本をコロナウイルスが襲った。当初は対岸の事故であったはずのコロナが日本に上陸するや否や猛威をふるい始め、３月には学校閉鎖、世界中で渡航が規制された。当然にインバウンドは激減。あれほど賑わっていた京都は閑古鳥が鳴いてしまってホテルその他の観光業者は軒並み倒産が相次いだ。株価もどんどん下がり大不況に突入した。

緊急事態宣言が発令され、日本中がまるで震災の直後のようになった。震災直後よりも深刻なのが地域限定ではなく沖縄から北海道まで日本全土にわたり広がったことだ。地震や噴火が地域に限定することを考えると、この疫病の深刻さは地域を選ばないという点では過去最大とも言える。戦争中ですら開催されていた高校球児の甲子園の大会も中止となった。

コロナ以前と以後とでは価値観が大きく変わり世界が変わっていく。グローバル化で世界の垣根がなくなりつつある時代に、触れ合うことはよくないという価値観が突然皆を襲った。それを救ったのがインターネット時代のオンライン。画面上での交流をオタクの産物だと馬鹿にしていたのに、非接触で交流できるということから全てのベクトルがオンラインに向かった。マスクについてもBC（ビフォーコロナ）の時代は「怪しい」「不気味だ」「化粧をせずにだらしない」など不評であったのが、突然「マナーが良い」と切り替わった。

このような時代の変化に対して、まだ大勢の人がコロナが終われば元に戻ると思っている。いや元に戻ると信じたい気持ちで生活している。そしてそれはあり得ない。夫婦や恋人の間で言われるように、一度割れた茶碗はいくら修復しても割れ目からお茶が漏れる。もう元に戻ることはないのである。

そうであれば割れた茶碗をもう一度粉に粉砕して茶碗を作るしか道がないのと同じで、AC（アフターコロナ）の進むべき道をお伝えしたい。

闇雲に走り出すことほど怖いことはない。それは脇道に落ちることもあるかもしれないし壁にもぶつかることもあるかもしれない。ACには一定の方向性があり、それをしっかりと把握する必要がある。俯瞰の視野が必要なのである。

ＡＣに関して多くの意見が出ているが、当書はある一面だけではなく全体を見渡して解説しているのでお役に立てるものであると信じている。

当然発行した後に制度が変わることや社会情勢が変わることもあり、記載の内容そのものが古くなる可能性もある。よって文中では断言は避けている。そして方向性があいまいなものはトピックとして取り上げてはいないが、対極が読めるように各テーマのどこかにヒントはあるようにしている。

私自身医療や法務の専門家でもないが、リスクマネジメント、インバウンド、営業、マーケティング、心理学、政策立案などの幅広い視野を持っている。オタク文化が世界を変える可能性についても早い段階から気が付いていていた。

カナダ在住の作家ナオミ・クライン氏の著書「ショックドクトリン」が２００７年世界中でベストセラーになった。ショックを与えることで、今まで進まなかった懸念事項があっという間に進むようになることがあるという人間の群衆心理を説いている。今まさにショックを受けている状況だ。

それはかつて武士の時代が終焉した明治維新のショックや、第二次世界大戦の敗戦のよるショック。この2つにも匹敵するものであると考えられる。この時に国民の価値観は大きく変わった。そしてそれぞれ大きな損失とショックを受けながら変わるべきものが変わり、新たな時代の発展へとつなげた。

今回のコロナショックもマイナス要因ばかり見るのではなく、この著書をきっかけに新たな変革に目を向けてもらいたい。そして拙著がその指針となり光となれるように願う。

高橋フィデル

CONTENTS

第一次産業

スポーツ

生活習慣

教育

ビジネス

インバウンド

観光・宿泊・輸送・旅行業

就活

政治経済

第1章

プロローグ

人類とウイルス

プロローグ

人類の歴史はウイルスとの闘いの歴史であった

世界にはさまざまな風土病がある。映画の『アウトブレイク』で有名なエボラ出血熱はアフリカに存在した風土病が猿を介して人間に突然襲い掛かったという実話を元にした物語である。世界には見知らぬ病原菌がまだまだある。

それまで人間には関係のなかった病気が突如として人間の脅威になることもある。前回のコロナウイルスＳＡＲＳ（重症急性呼吸症候群）もハクビシンという動物を食べる習慣から発生したと言われている。そして、コウモリを介して人間に広がったという研究発表がある。

今回の新型コロナウイルスも研究機関の検査で、遺伝子配列がコウモリの持つコロナウイルスに近いことがわかりＳＡＲＳの病原菌が数年の間に進化したものではないかと言われている。そうであるならばコウモリのいない国は世界に少ないので、どの国でも新型コロナにかかるリスクはあることになる。

ウイルスの被害について広く伝えられているのはクリストファー・コロンブスの新大陸発見という歴史的な偉業の影に隠れたとんでもない出来事が取沙汰される。

イタリア人であるコロンブスはスペインのイサベル女王の応援を得て、ジパング（日本）を見つけるべく大西洋を渡り、新大陸であるアメリカ大陸を発見した。

そこでウイルス学の世界で世界最大の悲劇とも言われる「コロンブス交換」が発生した。アメリカ大陸である新世界は長い間交流がなかったので生物だけでなくウイルスも独自に進化していた。

コロンブスが新大陸を発見したことでヨーロッパの探検家たちがアメリカ大陸へと乗り出した。そして旧世界であるヨーロッパの病気が新世界へと持ち込まれた。旧世界の病気に免疫のない新世界でウイルスは猛威を振るった。

最大のものは天然痘(てんねんとう)である。天然痘は痘瘡(とうそう)とも呼ばれ、天然痘ウイルスを病原体とする伝染症だ。非常に強力な感染力を持ち、致死率も高く、全身に水疱・膿疱が出来る。治っても醜くなる。

太古から人類を苦しめてきたいわば人類の天敵とも言える凶悪なウイルスは新世界にはなかったのである。

悲劇はこのように始まった。クリストファー・コロンブスがはじめて海を渡ってから一年足らずのうちに伝染病は最初の足掛かりであるイスパニョーラ諸島を蹂躙しはじめた。島の住民数

十万が１４９２年の最初の上陸から１５０８年には6万人に、１５１０年には3万３０００人、１５１９年には1万８０００人に減り、ついには１５４２年には２０００人になった。

マヤ文明やインカ文明が滅んだのも武力というより病気のせいなのである。天然痘に加えてはしかも新世界を襲った。はしかは感染力がものすごく強く飛沫感染だけでなく、病原体粒子が空中を漂い離れたところの人にも感染する。空気感染となると防ぎようがない。さらに合併症も引き起こし、そのうち15%が肺炎になり、０・２%が脳炎になった。

ウイルスは文明すら滅ぼすのである。歴史の本の中で疫病の悲劇はヨーロッパで起きたとペストが真っ先に出てくるがそれは先進国のエゴである。実際の最大の悲劇はこのコロンブス交換である。

逆のことも起きた。新世界からは今までヨーロッパにはなかった梅毒（ばいどく）が入ってきた。これも悲劇であるがこの事実も先進国の歴史からは漏れている。

日本は海に囲まれていることにより世界から天然の防疫壁があるが、状況はかつての新大陸と同じガラパゴス状態である。国土の80%が山でわずか20%の狭い所に1億2千万人もの人がひしめきあって生きている。ウイルスの攻撃に最も弱い地政学上の場所にあることになる。一方で、いい面もある。他の国から海で離れていることはいいことでもある。とは言え、昔、日本という国があったらしいとならないようにしたい。

人類という存在の脆（もろ）さ

数千年続いたインカ文明、アステカ文明があっという間に天然痘と、はしかで滅んだ。古代文明と言われる発展した文明が忽然と姿を消す話は世界中で多くある。

イタリアのポンペイの遺跡は火山灰によって滅びたのは知られているが、カンボジアのアンコールワットやアンコールトムなどの大遺跡は原型をとどめており、突然人がいなくなったという事実しかわからない。このように遺跡がきれいに残っている文明が滅んだ原因は疫病が理由だと考えられる。

コウモリから出てきたウイルスが人を襲うということがなぜ起きるのか。それはウイルスが進化し続けているからである。それでも自然の摂理というのがまだ守ってくれている。

自然というのは不思議で、今回の新型ウイルスの期間中地球全体で二酸化炭素が減り、空気中の汚染物質が減り環境が改善された。いわゆる人類が活動を中止することによって地球環境が改善されたのである。

ＩＥＡ（国際エネルギー機関）によると、２０２０年の世界のＣＯ２排出量は８％減少する見通しだ。この減少量は過去最大であり、リーマンショック時の６倍にあたるという。はからずも新型コロナウイルスによって、我々人類は「世界が力を合わせれば、たった数か月で温室効果ガス削減が可能である」ことに気付かされた。と同時に我々は、ＢＣの経済活動をやっていたら、地球環境は1ミリも改善することがないことも分かったのだ。地球にとって新型コロナウイルスは人類というウイルスへのワクチンではないかと皮肉を言われても仕方がない。

産業革命で化石燃料の活用という新たな力を手に入れ、便利さを手に入れると同時に二酸化炭素の排出による公害を受けることになった。人類は賢そうに見えてあまり賢くない一面もある。諸刃の剣であるとの認識が甘かったのかもしれない。

科学は進化しているとは言えワクチンひとつをとっても、ウイルスに対して科学的に何かを作るのではなく、あくまでの人間の免疫力をサポートするに過ぎない。人類の治癒力に頼っているというのが実情である。

病原体や病原体の作り出す毒素などは抗原と呼ばれ、病原体や毒素に反応して病原性をなくす抗体と呼ばれるタンパクを作る元になる。抗原が抗体と結びつく性質のことを抗原性という。ワクチンは病原体などから病原性をできる限りなくしたり、病原体を死滅させたり（不活化）あるいは毒素を無毒化して作られる。ワクチンを事前に体内に接種することによって免疫状態を作り、病原体などから身体を守る。このような人間の身体の能力頼りなのである。

不眠不休でワクチンの開発をしているが、その方法としていくつかある中で現在は遺伝子組み換え法が最も早く、期待ができると言われている。あらかじめ増殖させた特殊な細胞にウイルスの遺伝子を挿入し、ウイルスの抗原性に係わっているタンパクだけを細胞につくらせた後これらを取り出して精製させる手法であり、酵母細胞を使ったＢ型肝炎ワクチンの製造に用いられ、すでに実用化されている。

他にもふ化鶏卵培養法、動物接種法、細胞培養法があるが膨大な時間がかかることから現実的ではないと思われる。

さて、遺伝子組み換え方法一択でワクチン開発は進んでいるが、焦りすぎてはいけない。かつ急がないといけない。とんでもなく便利な事も起きるがあっという間に文明が滅びる可能性すらあるからである。例えば、遺伝子工学の世界で言われているのが蚊との闘いである。

世界で人間を最も多く殺しているのが蚊である。何となく人間を1番殺しているのは人間ではないかと皆は思っているかもしれないが、実際はあの小さな蚊なのだ。人間を殺している数に順位をつけるなら1位が蚊、2位人間、3位蛇、4位犬と続く。

犬においては狂犬病という最も死ぬのが苦しいという病気があるが、殺されている人数で言えば犬は年間3万人、蛇が5万人、人間は48万人、蚊においては73万人にものぼる。マラリアやデング熱、黄熱病も蚊が原因なのである。

そこで遺伝子工学の世界で素晴らしい解決方法が出てきた。人間や牛、馬、豚、ニワトリなどの脊椎動物の血を吸うのは交尾後のメスだけだということがわかっている。つまり卵を産む前のメスだけが吸血する。ちなみにオスの蚊や普段のメスは花の蜜や樹液などを吸って生きている。

日本には100種類ほどの蚊がいるが、血を吸うのはアカイエカ、ヒトスジシマカなどおよそ

20種類。その中でも敵はメスなのだ。

２０１９年7月学術誌Natureに出された論文で、中国の実験地区においてメスの蚊だけをボルバキアと呼ばれる細菌と放射線の合わせ技により、ヤブ蚊の一種であるヒトスジシマカを94％も激減させることができたと発表され学術界は騒然となった。

さらにそれを進化させてオスしか生まれないよう遺伝子工学で操作し、その蚊をジャングルに放つことで生まれてくる蚊は全てオスになる。世代が進むにつれてメスはいなくなり、ついには蚊は撲滅されるだろうと予想された。

ところが現在この研究は進捗していない。理由はその遺伝子工学でできた蚊が原因で人間に何らかの作用が起きるかもしれないという問題があったからだ。過去のコロナウイルスも元々は中国の生鮮食料品売り場に出ていたハクビシンが発生源になっているという論文が出ているように、別の生物に作用してしまう可能性がゼロとは言えない。

例えばオスしか生まれない蚊によって人間も女の子が生まれなくなる奇病が流行るかもしれない。もしそうなれば数世代を超えて人類は滅びる可能性すらある。そんな世の中で生まれてきた貴重な女の子の争奪戦が起こるなんてことも想像に難くない。修羅場の中で人類は滅びる。

さらに怖いのがウイルスの進化のスピードである。薬の進化が追い付かないほど速い。ウイルスの進化の速度は桁外れに大きい。ウイルスの同義置換速度は０・０１座位/年。これは哺乳類の遺伝子のおよそ数百万倍にものぼる。通常生物の分子の進化は数百万年、すなわち地質年代を単位として起こるのに比べ、ウイルスの分子は年を単位として起こるわけである。インフルエンザウィルスはまさに進化のミニチュアと呼ばれるにふさわしい。

薬の耐性なども変化していく。もし現存の薬に対抗出来るようウイルスが進化するとすれば人間はその速さについていけない。人類はいまだ免疫力に頼っていてウイルスの進化スピードと争えるものではないのだ。疫病の恐怖とはウイルスそのものの怖さもあるが、それが進化する可能性があるということも一端なのだ。

人類という存在の強さ

人類とチンパンジーのＤＮＡはほぼ同じだ。なんと99％も同じなのである。余談ではあるがバナナと人間のＤＮＡは50％一致、人間と犬では80％も一致する。人類とチンパンジーは染色体の数が異なり、人類が23、チンパンジーは24とわずかな違いである。

人類はほんのわずかの違いで進化し、チンパンジーはチンパンジーのままなのである。人類とチンパンジーが別の種に分かれたのは６００万年前から８００万年前の間だと言われている。

進化で面白いのがチンパンジーから人に進化したその後である。より進化した方が次のステップに行くと読者の皆さんは思っているかもしれないがそうではない。優秀な部族が生き延びたかというとそれも違う。1番進化した種族が今の人類ではないのだ。

ネアンデルタール人という種族は今の人類の祖先であるホモサピエンスよりはるかに身体が強く、大きく、圧倒的に優等種族だった。ネアンデルタール人が狩りで食料を得ていたのに対し、劣等種族であった人類の祖先は小さなウサギや鳥を狩りし、それ以外はネアンデルタール人や他の大型動物が狩った後の死肉をもらっていたと言われている。

さらにネアンデルタール人の方が脳が大きく知能が高かったこともわかっている。つまり肉体的のみならず知能的にも我々人類の祖先は劣等種族だったのである。その人類がなぜ、ネアンデルタール人を凌駕して繁栄したかと言うと、弱かったからという逆説が生きる。

ネアンデルタール人は強いが故に、狩りをするときに道具を使う必要がなく、仲間同士で意思疎通をする必要もなかった。そのために言葉が発達せず、さらに家族主義だったので家族の枠を超えた共同体に発展しなかったのだ。

ネアンデルタール人のように遠くに槍を投げることが出来なかった我々の祖先は、考えぬいた末にアトラトルと呼ばれる道具を思いついた。棒の先の部分に槍をひっかけてテコの原理で投げる補助具である。このアトラトルを使うことで人類の祖先はネアンデルタール人のように槍を使えるようになった。

非力であった人類の祖先は1人で獲物を仕留めることが出来ず、集団で狩りをすることで社会ができた。そして意思疎通の手段として言語が生まれた。言語ができることで1人の知識が全体の知識となり様々な発展を遂げることになる。

結果、劣等種族であったホモサピエンスがネアンデルタール人より繁栄するようになった。火を覚え、道具を進化させ、ついにネアンデルタール人を滅ぼし今の現代社会を作ってきた。我々人類に流れるこの負け組ならではの工夫は実は遺伝的なものなのである。

危機に際して失敗から学び工夫していくのが人類の特徴とすればＡＣに期待できることが多いような気もする。ＢＣとＡＣは価値観や様々なものが変わるだろう。そのような中でどのようなことが起きて、どのように対応していけばよいかを考えることができるのも人類である。

このような本が出ることも智恵である。価値観や個々の知識を共有して広げることで人類全体の知識とすることができる。ウイルスは人類の１００万倍速く進化し、人類はウイルスが進化する速度の１００万分の1の速度でしか進化しかできないが、皆でつながることにより78億の知恵が集結できる。共有進化が許された生き物である我々が力を合わせればウイルスの進化にも勝てるのかもしれない。これまで述べたような危機も乗り越えてくることができたのは我々が智恵を共有できる生物だからである。

第2章　コロナ禍でどう変わってきたのか

医療

かかりつけ医

今回のコロナで体調不良を訴える人たちが保健所と診療所のたらい回しにされ、診察を受けられない患者が続出したことで現在の医療体制の脆さが浮彫になった。それぞれの病院やクリニックには容量があり、さらに初診の人は時間もかかるので後回しにされてしまう。

最も多く聞いたのが「適切な防護措置が取れないので、インフルエンザの検査なども含め発熱者は対応できない。帰国者・接触者相談センターにご連絡ください」と言われたというコメント。そしてそのセンターは１００回電話して

も繋がらないという状況が続いた。

ようやくセンターに電話が繋がっても4つの質問として「最近感染拡大国に行ったか？　感染者と直接接触したか？　基礎疾患があるか？　息苦しさはあるか？」が聞かれ、この4つ全て当てはまらないと、あれほど時間をかけて連絡しているのに関わらず「こちらでＰＣＲ検査に直接紹介できないので、お近くの病院に行って、お医者さんに判断してもらってください」と対応される。

さらに「37・5℃が4日続いたら相談してください」というように日本の医療は重傷者優先で、医療崩壊を招く恐れもあるので軽症者は招かれざる患者であった。

そのような中で活躍したのが、大病院ではなく町医者と言われる地域に根付いたお医者さんだ。彼らは大病院と違い、それぞれの地域の「かかりつけ医」として位置づけられている。大病院では逆にクラスター感染が多く発生した。理由は待ち時間の長さと不特定多数者の出入りである。

今、コロナの流行でかかりつけ医の存在が大きく見直されることとなった。20代～40代の人はあまり病院に行かないことからかかりつけ医が決まっていない人も多い。特に都市部では自宅周辺のクリニックがたくさんあるために病気になればどこかに飛び込めばいいと思っている人が多い。

今後はかかりつけ医の存在が重要になるだろう。今回大病院がクラスター感染の原因になるということで在宅医療、往診などができる診療所が重宝された。

日本医師会では、かかりつけ医を次のように定義している。「何でも相談できるうえ、最新の医療情報を熟知して、必要な時には専門医、専門医療機関を紹介でき、身近で頼りになる地域医療、保健、福祉を担う総合的な能力を有する医師」。

つまり単に病気の診療をするだけでなく、地域の保健や福祉のことも理解していることが求められる。特にコロナのような疫病で重大な被害に遭う可能性の高い高齢者が患者の場合、医療と介護の連携が不可欠なため、地域に根ざしたかかりつけ医の存在はとても重要視される。

お見舞いや立ち合い分娩においても、その判断は大病院とかかりつけ医とでは大きく異なる。大病院は個々の親族や友達との関わり合いについては一切関知しないので、基本的にお見舞いや立ち合い分娩などについてリスクヘッジの観点で今後は認めることはないだろう。

かかりつけ医であれば個々の家族やその周辺の体調管理も同時に行っている場合が多い。つまり家族全員の健康状態を把握しているのでお見舞いについても許可され、立ち合い分娩なども許可されるであろう。

かかりつけ医は患者だけでなく地域の医療も担当しており、小学校や中学校の担当医もしていることが多い。学校の事情なども理解しているので深い判断ができるという利点もある。今後かかりつけ医のニーズは拡大するだろう。

医学モデルへの回帰

医療には感染者を完全隔離する「医学モデル」と通常の生活の中に溶け込ませて治療するという「生活モデル」の2種類の対処方法がある。今回の新型コロナウイルスの発生で生活モデルの限界を我々は知った。昭和初期まで日本で中心であった医学モデルへの回帰が今後取り沙汰されるだろう。感染症の対処としてこれは圧倒的に効果的である。

明治の医学モデルの時代においては感染症患者は隔離が基本であった。そしてそれを巡査などが巡回するようにしていた。ところが近年は感染者を隔離するのではなく感染者と共に生きるという生活モデルになっている。だからいざ今回のような事態がおきると隔離できる場所がない。ノウハウがないという事態が起きた。そのため隔離病棟として使われた船舶では船内で感染が広がることになった。

実際、近年の医療制度改革では生活を支える重要性が意識されており、2013年8月の社会保障制度改革国民会議報告書では「治し、支える医療」という言葉が使われている。さらに人口のボリュームが大きい団塊世代が75歳以上となる2025年時点の人口減少や医療ニーズを踏まえつつ、病床削減や在宅医療の充実などを目指す「地域医療構想」が制度化された。

海外の医療制度改革でも全人的かつ継続的なケアを提供する「プライマリ・ケア」が重視されており、医学モデルから脱却し生活モデルへの転換が強く意識された。

今後は生活モデルから医学モデルに切り替わるのではなく、あまりにも生活モデルに寄ってきた医療行政を隔離なども可能な医学モデルと並立させる必要がある。そうしないと重症患者急増により不足するベッド、人員不足、院内感染、マスクや防護服の不足といった問題は消えない。喉元過ぎれば熱さを忘れるではいけないのである。

一般病棟に行く患者が減るだけでなく、救急患者ですら病院を避けるようになれば経営そのものに影響が出る。診療報酬減少等への損失補填で乗り切ろうとしているが、本質は生活モデルに寄りすぎて医学モデルをおろそかにしているからである。

オンライン診療の今後

新型コロナウイルスのパンデミックは皮肉にも病院が中心で起きた。本来病気を治すはずである病院が最も被災率が高くなったのである。この事によりついにあれほど世界中の医師会が利益の侵害であると反対していたオンライン診療が世界で拡大することとなった。

医師の立場からすれば、オンライン診療は儲からない。病院に来て診察して薬を出して、診察費と薬代という対価をもらうことで病院経営は成り立っているのが実情であるからだ。

オンラインで診察することになれば大金を出して造った病院などの施設が無駄になるし治療費

も請求し難い。そして医師会が懸念するのは将来オンライン診療をＡＩ（人工知能）というコンピューターに奪われかねないという問題である。

そのためにコロナ以前はオンライン診療の便利さや非接触性のようなメリットはあっても猛反対をした。さらにネットでは触診できないし責任の所在がはっきりしないなども問題として挙がった。よってオンライン診療は一部の離島や離村以外には広がらなかった。

ところが今、新型コロナウイルスの感染拡大に伴い病院へ通うことが難しくなった。そうなって初めてオンライン診療が開始されるようになった。海外からの外圧もある。アメリカがオンライン診療に対して保険を本格適用したからである。アメリカは２０２０年の診療回数が感染拡大前の予想の30倍に増える見通しである。

アメリカの後追いになってしまっている日本ではアメリカが始めたことを始めるのには比較的ハードルが低い。そういうことでアメリカが切り開いた道であるオンライン診療は間違いなく今後の日本でも進む。実際に日本で医師会の心情とすればアメリカでのオンライン診療解禁の動きを苦々しく思っているであろうが止めることはできないし、止まらない。

このオンライン診療の動きは逆に日本の財政にとっては良いことかもしれない。厚生労働省は２０２０年5月に示した高齢者医療制度改革に伴う財政試算で、１年間に使う医療費の総額である国民医療費の見通しを２０２５年度時点で52兆３千億円とした。

少子高齢化によって拡大の一途をたどる医療費の52兆円がオンライン診療で下がる可能性があ

る。医師会と厚生労働省の言いなりになって進んでいた医療現場のコストが下がるのは医療従事者には厳しいかもしれないが国民にとってみれば朗報だ。

確かに日本の医療システムが世界一であるのは認める。医師会や厚生労働省を否定するわけではないが、医者が失業するわけにいかないという理由で医療費が国家支出の大半をしめる現状はよくない。新型コロナウイルスがきっかけになり、医療費が半額以下になる可能性もある。

米調査会社フォレスター・リサーチによると、アメリカの今年のオンライン診療は10億回となりそうだ。新型コロナ感染拡大前の予想（約３６００万回）の約28倍となる。やはり保険が使えるとなると大きい。

米カイザー・ファミリー財団によると、米国の外来診療におけるオンライン比率は２０１８年で2・4％だった。これが２０２０年は大幅に増える見通しである。

緊急措置でアメリカ政府は３月、高齢者向けの公的医療保険「メディケア」でオンライン診療の保険適用範囲を大きく拡大。過疎地のみといった従来の条件を撤廃し、全米で受けられるようにした。州政府も同時期に民間保険会社に保険でまかなうよう指示。コロナをきっかけに保険適用の範囲が一気に広がった。

イギリスＮＨＳ（国民医療制度）は英企業バビロン・ヘルスが開発したオンライン診断アプリを保険適用にしている。同アプリにはＡＩによる症状の分析とオンライン診療の２つの機能がある。軽度の症状の診察はＡＩが医師を代替し、本格的な診断や薬の処方はオンライン診療で対応する。

ＮＨＳ加入者は患者負担が原則無料だ。イギリスで家庭医と呼ばれるかかり付け医は、患者の対応に忙殺されがちである。アプリのＡＩ機能とオンライン診療によって家庭医の負担を軽減する。

中国も２０１９年夏にオンライン診療を公的医療保険の対象とする方針を打ち出した。医師不足の中国はもともとオンライン診療のニーズが強かった。調査会社の前瞻産業研究院によると、春節（旧正月）期間におけるオンライン診療アプリの利用者数は前年の同じ時期より約3割増えた。

代表的なアプリ「平安好医生」の登録者数は3億人を超える。やはり中国のような所は診察の精度より値段とスピードが大事だ。だから病院に行く人はかならず加入する。

日本も重い腰を上げて２０２０年4月からようやくオンライン診療を解禁した。しかし導入している医療機関

は少ない。そもそも２０２０年４月からオンライン診療ができるようになったと日本人の何人が知っているのか。国も医師会も嫌々しておりオンライン治療について広く宣伝していないので認知度は低い。

しかしオンライン診療には利点も多くある。例えば遠く離れた別の医師が同じカルテを見ながら診断することもできるようになるだろう。治療の精度も逆にあがるかもしれない。

もっと言えば、海外の医師がオンライン診療をしてくれる可能性も広がる。実際には日本での医師免許がない人が日本国内で診察するのは違法である。しかし日本に治療方法がないような難病の診断を海外の医師がすることで助かる患者も増えるかもしれないのだ。

今後ＶＲ（バーチャルリアリティ　仮想現実）の技術が進めば手術室の脇には仮想現実で海外の専門医が日本の医師に指導しながら手術ができる時代も来るだろう。そのためには医師法が改正されないといけない。

個人的には医師法の改正は医師会の反対でなかなか難しいので、特区を作り、試しに特定の地域だけ海外の医師免許でも治療ができるようにすればよいと思う。日本の医療業界の改革が進むものと信じたい。

コンベンション

オンライン開催の限界

コンベンションとは、人や技術、知識、物などの情報交流するために開かれる国際会議のような大きな会議のことをいう。そのためにコンベンションという存在はなくなることはない。というのも、単純に知識を共有するためだけにコンベンションが存在するのではなく、プラスアルファとして意思決定をする機能や親睦を深めるという要素があるからである。

ただ今後はその手法は大きく変わるであろうし、ネットで代替えする部分が大きくなるだろう。実際に多くの会議がオンライン会議と切り替わっている。

よって今後は知識の共有の要素が強いコンベンションではなく、意思決定や展示、さらには体験などの複数の要素が詰め込まれた会が主流となっていく。そのためにキーワードがない通常の会議は縮小していくだろう。

理由は明確でネットで伝わる伝達力というのがまだ弱いからだ。対面式コミュニケーションで大切なのは、「ノンバーバルコミュニケーション（＝非言語コミュニケーション）」だといわれている。

ノンバーバルとは、言葉以外でコミュニケーションに使われる要素、表情や顔色、話す人の視線の行方、声のトーン、話すスピード、身ぶり手ぶりといったものを示す。

アメリカの心理学者アルバート・メラビアンによれば、言葉がメッセージ伝達に占める割合はたった7％しかないという。つまり残りの93％はノンバーバルなメッセージによって判断されるということなのだ。

例えばあなたの恋人が暗い顔をしているので「何かあったの?」と聞き、それに「いや大丈夫、何でもない」と相手が答えたとしても、言葉と態度から何かあったのだろうと感じ取ることができるだろう。

オンラインでの会議の場合、顔は見えているものの、ノンバーバルな要素、表情や顔色、視線、

身ぶり手ぶりといった部分は実際に会っているときと比べると情報が少なくなることは否めない。

またセミナーというのはある種のエンターテインメント的要素があり、講師が持っているキャラクターを目の前で受け止めるからこそ印象に残るし、満足度も高いのである。

世間では全てがオンラインに切り替わるごとく持ち出されているが、このようにコミュニケーションの深度が浅いという弱点がオンラインにはある。さらに複数の同時の会話には対応できない。会議などでは同時に話をするといった状況は少なくないが、オンラインでそれをされると意思疎通ができなくなる。

また、参加している人が使っている通信回線やカメラ、マイクの性能といった設備環境にも差があるためにその影響を受ける。人間の心理とは面白いもので、クリアではない映像や雑音の多い音声での発言は、いくら良いことを言っていたとしても伝わる力は弱いし、どうしても印象は悪くなってしまう。これは残念だが仕方がない。さらに悪いことには回線そのものが何らかの理由でつながらなくなってしまうと、その人は参加できなくなってしまう。

このようにミーティングにおいても限界はある。ただツールが進化し5Gが進めばある程度の問題は解決する可能性がある。それでもノンバーバルコミュニケーションは触れ合う、感じるという究極のコミュニケーションなのでそれを越えることはできないだろう。

新しい形のコンベンション運営

ＡＣの今、大きなコンベンションが軒並みにキャンセルになった。コンベンションというのは人が集合し、同一のテーマで語りあうモノだ。しかし今後は無防備に集まることはできなくなる。混雑と人込みが予想されるような催し物には参加者が帰ってこないであろう。

ただしコンベンションというのは商品の紹介や技術の向上など、多くの意味を持つので開催される意義がある。だからなくなるということはない。

そこで人込みを作らない、人の流れ全体を管理できるプロフェッショナルが必要となってくる。適正人員の移動と運営をマネジメントする「ロジスティックコンサルタント」である。コンベンションの運営計画から関わり、同時に多くの人員を動かすことなく人員を振り分ける必要がある。

◇移　動

プログラムを修正して多くの人が同時間帯に移動しないように組む。

◇開会式

コアな少人数で行う。またはメインホテルの会場には委員会のコアメンバーだけが集まり、開会の宣言やスピーチ（キーノートスピーチ）はメイン会場があるホテルの各客室でチャンネルを

合わせると見る事ができるようにする。（オンライン会議化）
会議の次に発表する講演者は自分の出番の前までは部屋で発表原稿をチェックして、進行はオンラインで確認する。そして自分の発表の時に控室から会場に移動してカメラの前に立つ。希望の講演をライブで聞きたい人はその講義の時に部屋から出て会場に向かうか、もしくは部屋でチャンネルを合わることで聴講ができる。
質疑応答は基本会場にいる人とするが、オンラインでの質問を受けることができる会議があっても良い。その場合はパスワード管理で視聴している人も質問ができるようにすれば主催者の評判は上がるであろう。
宿泊しない人もいるし別の場所に宿泊している可能性もあるので、宿泊しない人用の小部屋をいくつか作る必要がある。宿泊しない人は会場で聴講するのと小部屋でオンライン聴講を選べるようにする。

◇受　付

コングレスバッグ（受付で参加者に無料で配られるバッグで、中にプログラムやパンフレットなどが入っている）と名札を受付でアルファベット順に並べて渡すという作業はリスクが大きいのでやり方を変える必要がある。代わりに事前送付または当日の指定席となり指定席に必要なキットを並べるという形がいい。

◇レイアウト

会議のレイアウトは主に2種類ある。1つは椅子を並べるだけのスクール形式。もう1つは椅子とデスクを両方用意するセミナー形式。ACにおいてスクール形式は密集度が高いのでレイアウトの中には以後候補として入って来ないだろう。

加えてデスク上にはプラスチック製の間仕切りを用意されることになる。座席は自由席よりも指定席にすることが増える。被災後の感染者を特定してリスクを減らすため参加者の理解は得やすい。

また会場内の入場人員は減ることになる。座席は映画館のように予約制度となるであろう。会場に入れなかった人は別の部屋で視聴できるように映像の仕組みが必須となる。

◇収　入

座席数を減らすことで参加者を減らすと大会の収支が成り立たなくなる。そうではなく参加者は減らさない。あくまで会場での聴講の人数を減らすだけでオンラインで聴講できるように課金の仕組みを充実させて、地方からの聴講者、場合によっては言語対応もして海外からの聴講も可能にする。そうすることで大会の運営資金を確保できるようにする。

オンライン聴講の仕組みは工夫次第で大きな利益になる。日本語での聴講と通訳が入っている英語の聴講は料金を別にしてオプション料金を取ればよい。さらに発表者に関連する書籍や研究で使った器具や検査薬とか重ね売りもできる。

次の関連学会の案内や申込も出せるようにすると良い。精神学会だったら児童精神学会の案内などを出して収益を重ねるようにできる。

オンライン参加でも学会の単位や議決の権利は得ることができるように会則を修正する必要がある。

◇懇親会

懇親会のために会議やコンベンションに参加する人はここでしか味わえない非日常を求めてきている。懇親会をどのように制作するかが参加の大きなきっかけになる。アウトドアが増えるとも言われているが、雨が多い日本においては雨天時のバックアッププランを考えながらアウトドアを作る技術が必要となる。

地元の協力も必要ではあるが、浜辺や河原など風通しの良いところでのパーティーやゴルフ場など斬新なプランが出てくるのに期待したい。実際に以前手がけた掛川城や下賀茂神社で行ったイベントでは非日常を演出できたが、規制のやりとりが大変なのでそこは今後の行政がもう少し協力してくれるとありがたい。

第一次産業

農業・漁業・林業人口が戻ってくる

新型コロナウイルスで都会の仕事が減り深刻な状況になったが、相変わらず第一次産業従事者の高齢化と人手不足は深刻なままであった。しかしそれが改善される方向が見えてきた。

一時期はこの人手不足を研修生という名目で外国人に頼る日本の未来図が見えていた。それも新型コロナウイルスが打ち砕いた。リンゴの収穫の時期になっても外国人研修生は来なかった。いや、来ることが出来なかった。理由は来日することができなかったからだ。

強引に来日しても空港にて2週間検査で足止めされる事態になった。激減した勤労者のせいで、作物ができても刈り入れができず廃棄処分となっていった。

そのような中で唯一救われたところが出てきた。それはたまたま都会で失職したホテル関係者が人づてで第一次産業を支えたことだ。人手が余ったところから足りないところへと流れる道筋ができていなかったが、都会の余剰人員が田舎を助けるというのは合理的だ。

それを後押しするように企業がどんどんテレワークに移行した。つまり地方での一次産業についたままで都会の三次産業に従事できる。そんな道が見えてきたのだ。しかし地方の人手不足の現場への繋がり方がわからないという問題がある。ここが解決されれば日本の恒常的な悩みである第一次産業の高齢化問題が好転する。

政府は2020年度補正予算で農業、漁業の人材確保に49億円を計上した。地域で人手不足に悩む農家と、学生や他産業の従事者で職を探している人をマッチングする事業を支援するほか、農業では時給に500円上乗せし、人材獲得を後押しする。

今後、農家の人手不足時には都会のレストランの余剰人員がサポートに行くようになる。そのような契約が進むであろうし、生産者と利用者が繋がるのはとても良いことだ。食事の質が上がることなども考えられる。

農林水産省によると、2019年の農業就業人口は前年比7万2千人減の168万1千人。10年前と比べて100万人も減った。頼みの綱だった農業分野の外国人技能実習生も、新型コロナウイルスの影響により5月20日時点で約2500人の来日がキャンセルとなった。インバウンド頼りでは圧倒的に足りない。

いくつか目新し動きが始まってはいる。だがまだまだ広がっていない。シェアグリは4月中旬、観光地向け求人サイト運営ダイブ（東京・新宿）と提携し、観光業で働く若者と人手不足の農家をつなぐサービスを始めた。20人ほどではあるが2020年6月にマッチングした。

農家の一時的な働き手として旅行者を紹介する「おてつたび」（東京・渋谷）も、売り上げの減少などで従業員の継続雇用が難しくなった観光業や飲食業の人材を、農家に紹介するサービスを２０２０年5月に始めた。フリーランスや大学生など幅広い業種から60件ほどの応募があった。すでに動き始めている。

ホテル業や観光業などもオフの時期には収穫に人手を回すことで解雇せずにすむことになる。一日中田んぼにいなくてもいいし、漁に出なくても昼からはオンラインで仕事もできるのである。このライフスタイルが定着するようになれば第一次産業の従事者の大幅な若返りが可能となる。地方に人が戻ってくることで、広い田舎でのびのびと育つ子供達が増えて子供人口も復活する可能性がある。第一次産業のサポートをするようになればその中で本格的に第一次産業に鞍替えする人も出てくるかもしれない。

２０２０年5月ちょうど新型コロナウイルスの真っ最中に茨城県にある宇宙ビジネス事業化支援事業に採択されたベンチャー企業が、衛星写真から耕作放棄地を判定、検出するアプリ「ACTABA」を開発した。

農業委員らが目視で行う従来の放棄地確認作業への活用を目指す。開発したのは、農地のデータ化などに取り組むSAgri（兵庫県丹波市）。有償の衛星写真を使用し、農地の色合いからＡＩが判断し、耕作放棄地とみられる土地を赤色で表示する。放棄されている疑いの高い場所ほど赤色が濃くなる仕組みだ。

日本にあふれかえっている余剰の農地は今後の地方創生の糸口であり、ここを若い労働者に安く開放することで第一次産業が花開く時代がくる。テレワークによる都会業務との兼業がそれを可能にする。

それでも放棄地が埋まらないようなことがあれば、その時は日本だけでなく海外にも一定の農耕地利用の規制と出資などをしっかり管理したうえで開放しても良いのではないかと思う。

農家が減っている日本に海外にあふれている優秀な農民を誘致することで人口問題や高齢化問題を解決できる可能性がある。第一次産業にとってＡＣは復権の時代となるであろう。

スポーツ

アマチュア化の動き

スポーツには見る人である観客側の観点と、競う方である競技者側の観点がある。そしてアマチュアとプロが存在する。

今回の新型コロナウイルスで当初は無観客試合で乗り切ろうとしたが結局全面的に延期になった。夏の高校野球などは戦争下でもやっていたのに中止になったことには驚きだ。ロサンゼルスオリンピックから全ての競技でプロ化が進んでいた。それがＡＣではアマチュア化の方向へと舵を切る。理由はプロはスポンサーが動かないと動けないからだ。アマチュアはスポンサーに関係なくお金の動きに左右されにくい。

スポーツの祭典であるオリンピックはプロとアマチュアが混在している。これは決してアマチュアの祭典ではない。だからステークホルダーと言われるアメリカの放送局の意向が大会に大きく影響する。アメリカが新型コロナウイルスで苦しんでいるのであればオリンピックも開催が危ぶまれる。全てスポンサー主体の考え方に近いからである。

ゴルフや野球も含めて、プロ化しているスポーツは復帰が遅い。そこに絡む利権が多すぎるために、利益がでないことができないからである。

決してプロスポーツが消えるということではない。プロスポーツを支えるアマチュア部分が弱いとプロスポーツも影響を受けやすい。だから利害やお金に左右されにくいアマチュアの重要さが今回浮彫になった。

プロスポーツも初めての事態で経験がなかったであろうが、スポンサー不在の場合でもアマチュアイズムで試合ができるように規定を作る必要もある。

選手も試合に出るからギャラが必要となるというプロ契約だけでない、非常時のアマチュア対応を最初から規約に入れておくことで試合ができるようになる。お金にはならないが、記録のため名誉のためだけに試合に出ることを了承してもらった人だけの試合になる。

例えば、２０２０年7月末まで新型コロナウイルス感染者がゼロであった岩手県でＰＣＲ検査を受けてもらった上でアマチュア規約にサインしてくれた選手だけの試合ができる。スポンサーがいないので交通費や費用は自己負担になるだろうがそれでもいいと言ってくれる選手もいるだろう。

ここまで書いてもまだ利権を求める人はせめて放送したいと言い出すと思う。しかしたとえ放送できなくても試合をするのがアマチュアイズムであることを知らないといけない。稼ぐのは落ち着いてからプロ契約に戻ってからでいい。まずは名誉と記録のために試合をすることが大切である。

自宅にトレーニングルームがプロの必須となっていく

トレーニングや試合の方法も現在模索中であるが、プロスポーツがすることをアマチュアが模倣していくのであれば、スポーツのプロの在り方が変わってきている。

どのスポーツにも言えることではあるが、練習時間の方が試合の時間よりもはるかに多くの時間を費やす。ＡＣのスポーツのそれぞれの時間の話にはなるがこのトレーニングについて語る人は少ない。実はトレーニングが大半で、試合はそのごく一部である。

そしてこのプロのトレーニング手法が変われば学校スポーツにまで影響する可能性がある。まず間違いなく今後プロは自宅を改造してトレーニングルームを作るであろ

うし、プロ契約の段階でトレーニンググルームの設置が条件となる事だろう。

実際にJリーグ浦和レッズの取り組みが注目を浴びた。週3回、午前に選手全員が遠隔オンライン会議システムの「Ｚｏｏｍ（ズーム）」で集まった。自重を活用した筋トレ、持久力を鍛えるサーキットトレーニングが日ごとに課された。プロを講師に招いたダンストレーニングもメニューに登場し、有酸素運動を狭い空間でもトレーニングできることに成功している。

横浜ＦＣは今回の災難を機に、映像・データを分析するツール「ＨＵＤＬ」を導入した。コーチと選手はＨＵＤＬで動画など情報を共有できる。フィジカルコーチから宿題としてやるべき練習がアップされ、監督が戦術を説明するミーティング映像も映される。

誰が動画を見たか、見ていないかも把握でき、経営陣がクラブの現状を伝える場にもなる。意思疎通に一役買っているという。実際にこのようなチームが強くなり勝つようになると様々なトレーニングが生み出されるだろう。

生活習慣

自転車が見直される

今自転車生活が見直されている。これは実は初めてのことではなく東日本大震災の時も自転車生活が見直されたのだ。大震災の時はガソリンスタンドに長蛇の列ができたが、結局一番便利な乗り物として自転車がクローズアップされた。そして今回の新型コロナで自転車は改めて注目され、令和2年3月28日に政府指針が出されさらに推奨が加速された。

政府の指針としてはまずは通勤しないで済むテレワークを、それが難しければ人との接触を減らす通勤方法を強力に推進するとし、その1つとして自転車通勤があげられた。

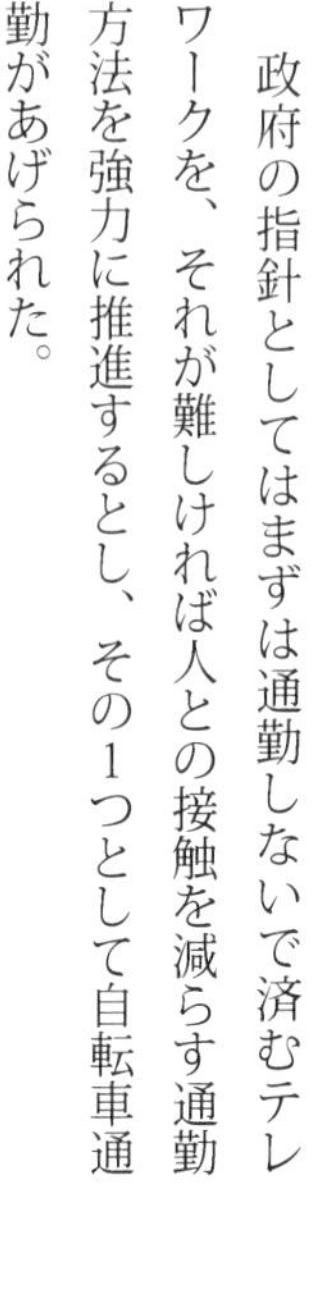

具体的な文言として「職場に出勤する場合でも、時差出勤、自転車通勤等の人との接触を低減する取組を引き続き強力に推進すること。ソーシャルディスタンスをキープできるだけでなく、適度な運動をすることで生活習慣病対策にもなる」という健康維持という別の意義も出てくる。参考までに、1時間程度のサイクリングでの消費カロリーは300〜600kcalほどだ。

加えて新型コロナウイルスで免疫力向上の意識が高まったこともあり普段の生活において運動する習慣が大事だということがわかり、自転車への期待がさらに高まったのである。

シェアリングエコノミーから元の自己所有の生活へと戻る

使いまわしをする考え方（シェアリングエコノミー）がBCでは流行していた。そのような中で新型コロナウイルスが流行し、シェアすることへの不安感や嫌悪感を持つようになった人も多い。

そのひとつとしてレンタカーへの需要が激減した。使いまわしに対してリスクが大きいと人が近寄らなくなったのだ。市場では人が使った可能性があるものを触ること、手に入れることが敬遠されるようになった。

価値観が変わってしまった。環境にやさしい、利便性が高いといった面から拡大してきたがもう時代は戻らない。モノ・場所・ヒト全てにおいて人と共有することがリスクであるという新たな価値が今は主流だ。

もちろんシェアリングエコノミー全体がダメになるのではない。一定の空間をシェアすることになる車や家、オフィス系がダメになるが非接触型のシェアサービスである駐車場などはまだ健在ではある。

そのような中ついにレンタカー会社が破綻した。米レンタカー大手ハーツ・グローバル・ホールディングスが２０２０年5月22日アメリカ連邦破産法11条（日本の民事再生法に相当）の適用を申請し、経営破綻した。

新型コロナウイルスの流行により世界各国で利用者が急減し資金繰りが悪化していた。２０２０年3月末時点の負債総額は１８７億ドル(約2兆円)。最先端の考え方であったシェアリングエコノミーは完全に市民権を失う形となりつつある。

そして過去の所有優先の社会に戻りつつある。今後は2次感染や新型のウイルス次第ではあるが、自己所有の安全性を求め社会は昔の状態に戻り、新たな時代の形であったシェアサービスは勢いを失った。

喫煙の習慣は街から消える

新型コロナウイルスの影響で、街中の喫煙所の閉鎖が進んでいる。密集、密接、密閉の「3密」を満たし、感染拡大の温床となりかねないためだ。

日本禁煙学会（東京・新宿）は2020年3月、感染者との濃厚接触の場になる恐れがあるとして喫煙所と喫煙室の閉鎖を提言した。都内の各区のホームページなどによると、杉並区は2020年5月1日から15カ所の公衆喫煙場所の利用を停止。北区も2020年4月27日から駅前の喫煙所など8カ所を閉鎖した。

それでも愛煙家は場所を探して喫煙するが肩身が狭い。そもそも健康にも少しもプラスにならない上に副流煙などで周りに迷惑をかけることもあるので今後も愛煙家が増える要素はない。

喫煙者が新型コロナウイルスに感染すると重症化する恐れが高まるとして、WHO（世界保健機関）や日本禁煙学会などが禁煙を呼び掛けたことも大きく今後影響している。東京都医師会も重症化の予防策として禁煙を訴えている。

呼吸器系疾患の専門家や医療関係者の国際的な組織、国際結核肺疾患連合は禁煙だけでなく、たばこ会社に製品の製造と販売の停止も呼び掛けた。たばこはがんや脳卒中など様々な病気に関わり、煙に含まれる成分は免疫力を低下させる。歩行など軽く体を動かしただけでも息切れし、せきやたんが続く慢性閉塞性肺疾患の主な原因でもある。こうしたことから喫煙者は新型コロナウイルスによる肺炎が重症化しやすいという。

中国の研究チームは新型コロナウイルスの感染者1099人を調査した結果、喫煙したことがある人は喫煙経験がない人に比べ、重症化するリスクが約1・7倍になると報告した。ICU（集中治療室）への入室や人工呼吸器による管理、死亡のいずれかの状態に陥るリスクも約3倍だったという。喫煙者は非喫煙者に比べ、重症化リスクが14倍になるという別の報告もある。

禁煙することで明らかに感染症の抵抗力が回復するのである。唯一の懸念は自宅勤務者が自宅という気軽さからたばこの本数が増えることであるが、これも常用の人の話で新規の喫煙者はどんどん減っていく方向である。

地方在住者が増える

それぞれの企業でテレワークができるような基盤が出来上がってきた。それで業務が成立してきている会社は出勤そのものを見直すようになってきた。

今はまだ会社に勤務できる範囲でそれが行われているが企業の経営者は高額な賃料を払って都会に大きなオフィスを持つ必要がないということに気が付いてきた。そしてそれはもっと考えれば都会に住まなくてもオンライン環境さえあれば仕事ができることにも気が付き始めた。

こうした変革の兆候が見られる中で注目を集め始めたのが、都市の大企業勤務者などに地方でリモートワークを促す「逆参勤交代」だ。通常の転勤やサテライトオフィスの設置では勤務する場所が限定されるが、逆参勤交代は1カ月

や半年、1年などの期間限定で、赴任する場所も比較的自由。赴任者は仕事の傍ら地元住民と交流し、地域振興や地域の抱える課題に取り組み、自らの経験を生かしたり、新たなノウハウを身につけたりする。地方からは月に1回か2回都会に行くようにするだけで生活の基盤は地方のまま。

地方も人口増加を目指す動きがあるので家賃や税金面の優遇制度を提案する。学校環境もリモート授業があれば子供の学校があるから地方に行けないということもなくなる。そういった環境があれば地方で都会の大企業に勤めることができ貯金も大きく貯まる。

地方の人口が増えると都会の過密が減るばかりか過疎化問題、地方の高齢化問題も減る。地方に噴出する空き家問題なども一気に解決する可能性がある。ＡＣは地方に人が戻る時代になる。

ＩＤ管理社会への切り替え

従来欧米では個人を特定できるＩＤが国民一人一人に必要とされ管理されてきた。有名なのはアメリカの Social Security Number などがある。アナログ社会で信用社会である日本ではそれが普及しなかった。

政府が主導でマイナンバー制度を作ったが、入る人と入らない人に分かれた。しかしこのようなIDカードは全員加入を持って初めて意義あるものだろう。日本では運転免許証やパスポートのような自らの意思をもって入るものを代替えとしていた。唯一在日外国人にだけ、在留資格のカードを常時携帯することを義務づけていた。

ところが新型コロナウイルスの登場でいきなり潮目が変わった。大きな理由は各家庭に配布される特別定額給付金である。この給付金をもらうためには役所に申請が必要となる。その申請のために役所に人が押し寄せ、長蛇の列を並んで初めて申請できると予想された。その給付の手続きがオンラインでできるようになった。そのオンラインでの給付にマイナンバーが必須であったことからマイナンバーへの見直しがおきた。

元より総務省がマイナンバー普及のためにポ

イント還元などの策を作っていたのであるが、特別定額給付金のおかげでようやく動いたのである。つまりポイント還元という見えにくいものより、明確に一人10万円という定額目標があると人は動くというのがわかった。

もしタイムマシンに乗ってマイナンバー普及の制度委員会に出席できるのであれば僕ならば「マイナンバー取得と1万円交換」政策が効果的であると断言できる。下に万円という数字がつけば民衆は動くのである。

余談はさておき、マイナンバーの普及率が99％を超えるとようやくＩＤ管理社会が来ることになる。総務省の企画倒れで終わっていた「マイナポイント」普及のプロモーションが新型コロナの給付金のおかげで息を吹き返し、これがまたいい感じで呼び水になってきている。

マイナポイントは一石三鳥を狙った官製の一大ポイント還元キャンペーン。消費税増税後の景気を下支えしつつマイナンバーカードとキャッシュレス決済、２つの普及を同時に狙ったが滑っていた。

設定されたのが25％という破格の還元率だ。スマートフォンや電子マネー、クレジットカードを使ってチャージや買い物をすると、25％相当のポイントが付き、1ポイント1円で利用できる。消費増税対策としてキャッシュレス決済で受けられる還元は店のタイプに応じ2～5％だからケタ違いだ。１人５０００円分という上限はあるが、各人がもらえるから４人家族なら２万円分のキャッシュバック。

その官製キャンペーンへの参加要件がマイナンバーカードの保有だ。マイナンバーカードの交付枚数は5月27日時点で2125万7950枚。住民基本台帳上の約1億2700万人に対する普及率は16・7%で、ようやく6人に1人になったばかり。2021年からは健康保険証としても利用できるようになる予定だ。

お役所仕事であるためにどうしてもそれぞれのセクションが提案してきた内容を統合しきれていないところがあるが、これも改善されるだろうと思う。

マイナンバーそのものとマイナンバーカードの違いが知られ始めた段階。マイナポータル、マイナポイント、マイキーID……多数の「マイ」の正確な理解は難しい。申請が殺到すれば特別定額給付金のオンライン申請が招いた自治体窓口の混乱も再現されかねない。要は全員参加をめざしているが全員参加するとパンクするという状況だ。

それでも間違いなく、ID管理社会は来る。各国がそれぞれに行っているが世界がリンクすることも遠くはない。便利にはなるが、一度悪い記録がついたら消えない社会となる。その怖さも知りながら世界の進化を見守りたい。本来は感染者を特定して追いかけたいという別の政府の思惑もあり民衆の願いも後押しする。

教育

登校拒否生徒が戻る

年々増加を続けている不登校生徒が２０１８年に14万４０３１人(前年度比1万３４８人増)に達し、過去最多を更新した。学校種別に見ていくと、小学校は3万５０３２人（同４５８４人増)、中学校は10万８９９９人（同５７６４人増）となっていた。もはや不登校生徒数が小さな市の人口に匹敵するほどであった。

ところがこの数字どころでない生徒が実際にはいる。この不登校生徒の定義が文部省によると「年間30日以上欠席した児童生徒のうち、病気や経済的な理由を除き、何らかの心理的、情緒的、身体的、あるいは社会的要因・背景により、児童生徒が登校しないあるいはしたくともできない状況にある者」となっている。

つまり保健室登校の生徒や欠席日数が29日以下の生徒は含まれておらず、そのような予備軍を入れると45万人もの不登校生徒がいる。小学生と中学生の人口が１０００万人であるから４〜５％の大きな未来がある子供達が才能を腐らせることになっている。もちろん向学意識のある子供達も少なくないのに、勉学の機会に恵まれなかったり、繁華街に消えたりして、悲しい人生が待っていることも多い。

それが今回の新型コロナウイルスにてオンライン授業をしたことで、学校から不登校生徒が復活してきたという報告が教育委員会に入るようになった。具体的な統計数はまだあがっていないが相当な確率で不登校生徒が授業参加するようになっているようだ。

ひとつには顔を合わせなくて良いということが大きい。イジメ問題で登校できなかった生徒は100%近くオンライン授業なら受けることが出来る。画面上ではあるが質問もできる。学校に行こうとするとお腹がいたくなる子、見た目を気にして外に出たくない子など、そんな生徒が気楽に参加できるのがオンライン授業である。

さらに別のグループも授業に参加しだした。それは病気で学校に通えない生徒である。病院または療養施設から参加することができる。教育こそ国の力であるならば大きな力である。

ところが残念な事に一部の学校では教師の負担が大きいという理由でオンライン授業を行わなかった。つまり4%の生徒を切り捨てて96%のための学校に戻ったのである。あらためてオンライン授業が不登校生徒に効果的であったことが判明したのだから、ここは国家プロジェクトとして進めたい。

9月入学

9月入学は全国知事会で多くの支持を集め臨時教育審議会まで登ったが最終的に先送りとなった。今後も災害などが起こる度に必ず出てくる大きな課題である。

メリットとデメリットがぶつかるので早々には決めにくいのがわかるが、最大のデメリットは1学年だけ1年半になること。最大のメリットは海外の入学時期にマッチして国際化が進むことである。

学校行事の実施が可能になるのも見逃せない。授業が遅れている学校では、学校行事や長期休みの中止や短縮をし、授業を進めることが検討されている。しかし生徒の学校生活において体育祭や文化祭などの行事は、授業以外でのコミュニケーションや課題解決などを学ぶ場でもあり、真剣に行事に取り組めば良い思い出になる。

9月入学を実施して時間的な余裕を作ることで、これらの学校行事も実施できる可能性が高まってくる。人によっては

夏の甲子園がどうなるとか、ノスタルジーをあおる発言があるが些末な事なのでそれは無視するのも政治家の度量であると思う。

小中高などの4月入学に関する規定は法改正なしで変更できる。学校教育法が入学時期を明記していないため同法の施行規則を変えるだけで済む。国会での審議は必要ない。大学は学長の裁量で入学時期を決められる。大学単位で東大、京大あたりが先にすれば後は最高学府に追随する気がする。

義務教育の開始時期を「満6歳になった翌日以後の最初の学年初め」と定める学校教育法は改正対象となる。翌年以降の小学1年生が9月に入学すると一部の児童はすでに満7歳になっている。開始時期に関する条文を変えて対応する。

政府は自民党の関連会合で改正の検討が必要な法律が33本あると説明した。このうち学校教育法など14本の法律名を配布資料で例示した。所管官庁は内閣府や文部科学省、厚生労働省、人事院など7省庁にまたがる。

学校教育法以外では地方公務員法の改正が検討対象とみる。現行法は地方公務員である教員らの定年退職日を「定年に達した日以後の3月31日までの間において条例で定める日」と規定する。9月入学に移行した場合、改正しなければ学年の途中で教員が定年を迎えて現場を離れることになる。そもそも今後も何があるかわからないので日付を入れないことをお勧めしたい。

労働基準法にある「満15歳に達した日以後の最初の3月31日が終了するまで」は児童を働かせ

ないとの規定も改正を議論する。9月入学になれば満15歳に達しても8月末までは中学生であるため、義務教育を優先する法律の趣旨に反する。

移行に関して財政負担が増える試算もできている。9月入学になった場合、本来なら4月に小1となる50万人の保育園児を4～8月の5カ月分長く保育しなければならない。厚労省は追加で必要となる保育士は約1・7万人、予算は約1400億円と試算する。文科省の試算では小中高大の学生がいる家庭の負担増は、移行期の4～8月の授業料などで総額3・9兆円にのぼる。

特定の学年だけに負担を17カ月分与えるのではなく、5年間はそれぞれ1学年を13カ月にして2026年から12カ月にすれば良いという案もある。誰もが満足する案なんてないのだからもたもたしないことが望まれる。

オンライン授業で地方の学生、海外の学生が増える

オンライン授業の良い所はネット環境さえあればどこからでも参加できるということ。家事手伝いなどで地元を離れることができなかった学生が家業や農業を手伝いながら授業に参加できる。また距離の垣根や家庭、家計の問題などで上京が難しかった学生にも可能性が広がる。

それは地方の大学の可能性も広がることになる。つまり都会の生徒が地方の学校を受けることも

できるということだ。沖縄で水産を学びたい学生が東京から参加できたりもする。5G時代になればヘッドセットを付けると海の中で水産の授業をライブで受けるなんてこともできるかもしれない。

オンライン授業のノウハウを身に着けると様々な学校への門戸が広がる。もっと言えば地方の学生だけではなく海外の学生もオンラインで日本の大学の授業を受けることができるようになる。

いくつかの授業から始まり、この流れが進めばすべての授業で英語化に進んでいく可能性もある。つまりオンライン授業の可能性がグローバル化すら進めることになる。

ビジネス

副業を認める社会へ

テレワークスタイルでは基本時間管理が難しく、残業代がつかなくなるので実質受け取る給与が少なくなる。ご存知のように残業代は割増賃金で通常勤務よりも高くなる。それがテレワークでは管理できないとの理由で固定給となる人が増える。

たとえば出版社や放送局などのメディア系では、初任給そのものはメーカーなどと大きく変わらないが、月給と同額に近い残業代を支給されることが多かった。初任給は24万円だけれど残業代を含む額面は50万円といった具合だ。

それがゼロになるということは革命的に会社所属意識が変わる。所属意識が変わった社員に副業の選択肢があれば、

収入が激減している人は考えるだろう。さらにテレワークは自宅にいるので別の仕事をすることも簡単にできる。本人は業務時間中に他の仕事をしていてもわからないし、会社に対しては残業代がないから副業を認めて欲しいと申請する人が増えるだろう。２０１９年度に多くの企業で副業が解禁されたことも後押しになる。

基本副業は終業後にすると約束するが、テレワークでの就業中に副業を同時にしようが誰にもわからないのが事実である。逆に副業をしない人が損をしているようになるのかもしれない。

ＡＣの社会は副業を認める、認めないではなく、どのような方法で副業を認めるかになる。そして就業規則をどのように修正するかを考える必要がある。

さらにテレワークが可能になったことで、地方で第一次産業についている農家などが仕事の合間に都会の仕事を兼業できるようになる。戦前に多かった兼業農家も復活するかもしれない。

時間型管理社会からジョブ型社会へ

通勤というものに縛られていると、出社時間・退社時間が固定になってくる。それが時間に関係ない成果主義になると、子育てや体調などの自己都合で勤務できるようになる。

江戸時代や明治時代には残業代という考え方はなかった。給与などはその業務についていた値段であった。江戸時代の武士たちも年棒制度であった。主君から米の石高でいただくことから俸禄（ほうろく）あるいは俸禄米と呼ばれていた。幕府の御家人や旗本は原則として米支給だった（一部現金支給もあった）。

この流れは戦後の復興期まで続き、労働組合の考え方の導入に賃金の統一化がなされた。この時間管理の仕組みには常に一つの矛盾をかかえていた。「できる人が8時間で仕上げて帰って、できない人が同じ仕事を10時間で仕上げたら、できない人の方が給金の金額が多くなる」という個人の能力差と時間の問題であった。

今回のテレワークの導入でその矛盾も解決できる成果物制に変わろうとしている。もちろんまだまだ課題はある。時間にあった成果物の評価がまだ定まっていないし、どのように定めるかで大きく変わる。

時間は万人に公平なので時間で管理するとわかりやすいが、成果物であれば会社によって人によって変わることになる。現状では過去の経験値に基づき、「かつて8時間ではこの程度の作業だった」と定量式にせざるを得ないではあろう。

この成果物制度になることで、例えば子育て中の人は子供が寝静まった夜やお昼寝している時間などのぶつ切りの時間の組み合わせで同じ成果物を収めることができるようになる。時間にとらわれない社会がやってくる。

実際に私の場合でも著作が捗る時間は世の中が寝静まった夜中1時から朝6時の5時間が一番

捗る。もし成果主義であればここの時間を一番作業に使いたい。このように個々の事情でも動けるようになる。

ジョブ型ではそれぞれのポストに求められる能力やスキルが明確になる一方、社員にそのスキルや知識をどう身につけさせるかが課題になる。

日本企業はこれまで社員教育にお金をかけてこなかった。研修といっても日常業務を通じて経験を積ませるＯＪＴ（職場内訓練）が主体。ＧＤＰ（国内総生産）に占める企業の能力開発費はわずか０・１％。米企業の20分の1の水準だ。

このような勝手に仕事覚えて育ってくれの文化は成果物評価を難しくしている。工場労働を前提とした時間給の考え方に囚われていては、世界の潮流からも取り残される。

日本には伝統的に成果物主義の長い歴史があったのだから、過去に戻りつつも新しいジョブ型社会への進化が必要である。そのためにはまずは労働者の働いていた時間を管理するように求めている労働基準法を修正する必要がある。政権の力量が試される。

労働年齢の広がり

ＢＣでは子育てなどの家庭と仕事の両立が難しく時短勤務や退職を選ばざるを得ない主婦の人も多かった。ところがＡＣになってテレワークが可能になり、家で空いている時間に仕事することができるようになった。

そうなることで主婦でも仕事が可能になった。子供が寝静まってから集中して3時間～4時間仕事をすればできる人ならば一日分の仕事ができるかもしれない。子供が昼寝している間や学校に行っている間など時間を細切れで見つけることができる。それは子育て家庭だけのことでなく、親の介護をしている人なども介護の合間に業務ができる。事故で車椅子の生活をしている人、糖尿病などで自宅から離れられない人、癌の治療中で生活に制限がある人など健常者と同じ生活ができない人へも道が開けた。

ＰＴＳＤ（心理外傷後ストレス障害）で電車通勤できない人などは人口の８％いると言われている（米国 Kessler 調査）。日本の人口の８％である約１０００万人の内労働年齢の人が6割としても、日本では６００万人近くの勤務可能者が更に確保できることになる。

このようにテレワークによるジョブ型納品が可能になると、勤労者の人数がＢＣよりはるかに増える。そうなればＢＣの労働年齢の不足をロボットや外国人研修生に求めなくても解決することになる。

離島や地方在住者にもテレワークによるジョブ型納品によって仕事の門戸が広げられる。以上の理由から今後テレワーク業務の拡大で新規労働者を確保できることになる。

株主総会の在り方

誰もが日本の株主総会はオンラインに移行したものと一般人は思っている。ところが実際には参加者を減らして行われた。インターネット上で総会を開けば会場での3密は避けられる。だが会社法は株主総会について物理的な会場を設けるように定めている。そのため現状はオンライン利用は併用にとどまった。これはあまりにもナンセンスである。

海外では完全なオンライン開催が広がる。アメリカの一部の州やイギリス、カナダなどでは実際の会場を設けない総会が認められている。米ブロードリッジによるとアメリカでは2019年に300社弱がオンラインだけの総会を開き、前年から1割増えた。2020年もフォードやインテルが実施し

た。

いずれにしても株主総会のやり方は変わっていく。欧米のようにオンライン型になっていく。オンライン型と一口で言っても株主のオンライン参加は総会を中継で見られる配信型と、その場での議案投票も可能な出席型がある。配信型はこれまでも日産自動車などで実績がある。エーザイや安川電機が初めて開くなど今年は増えそうだ。

ハンコが消える

新型コロナウイルスの最中に出社しなくてはいけない理由の1番が会議、2番が必要書類にハンコを押すという日本らしいアナログな理由である。感染を防ぐために在宅勤務を進めても書類へ押印するために出社を余儀なくされるケースが相次ぎ疑問が噴出した。

20年も前からハンコの廃絶を政府は訴えていたがいっこうに改善されなかった。今回でようやく人々は気が付き始めた。ショックを与えないと人は動かないというショックドクトリン効果である。

「テレワークの推進に向けて、押印や書面提出などの制度・慣行の見直しを順次実行してほしい」と安倍晋三首相は2020年4月下旬の経済財政諮問会議で脱ハンコを訴えた。感染拡大を防ぐには人との接触を減らす在宅勤務が有効な手立てとなる。押印はそれを阻む要因として挙げられた。

内閣官房によると印鑑証明書が必要な行政手続きは１００種類以上ある。法人の印鑑証明書の発行は年間約１３００万件になる。官民を問わず組織内の稟議書でもハンコは頻繁に使われる。

森喜朗政権は２００１年に電子署名に押印と同じ効力を認める電子署名法を施行した。安倍政権は２０１９年に行政手続きを原則電子化すると定めたデジタルファースト法を成立させた。それでもハンコは残ったがようやく消えていく要素が広がった。

アメリカでは電子書類の作成者を証明する電子署名に関する連邦法や州法が制定されている。ＥＵ（欧州連合）も２０１６年に電子認証の包括的な法的規則を発効済みで、タイムスタンプやｅシールを含むサービス提供者を認定している。

中国でも電子署名の法制度が拡充され、利用する事業者が増加傾向にある。韓国は２００９年に印鑑登録制度を5年以内に廃止する方針を打ち出した。

総務省は文書が改ざんされていないと証明するタイムスタンプの事業者認定の運用開始を当初の２０２１年度から２０２０年内に早める。電子的な社印ｅシールは２０２２年度から1年の前倒しを目指す。テレワークの広がりを踏まえ、遅れていた脱ハンコの環境づくりが急がれる。

２０２０年5月末日法務省も重い腰を上げた。議事録作成に必要な取締役と監査役の承認についてクラウドを使った電子署名を認めることになった。これまで会社法が容認しているかを明示する規定はなかった。新型コロナウイルスの感染防止策の一環で、署名や押印に関わる手続きを簡素にしたい経済界の要望を反映した。

法務省が経団連など主な経済団体に通知した。認めるのはリモート型やクラウド型と呼ばれる方式だ。署名と署名に必要な鍵をサーバーに保管し、全ての手続きがクラウド上で済む。当事者がネット上の書類を確認し、認証サービス事業者が代わりに電子署名するのも可能となる。利用者は場所を選ばずログインして電子署名できる。本人確認もメールアドレスや2段階認証を活用すれば短時間で済む。

取締役や監査役を複数兼任する人の制約が減り議事録承認も早くなる。すでに手元で保管するＩＣカードやＵＳＢを使った電子署名は認めていたが、ＩＣカードなどの発行に数週間かかり、利用者があらかじめ認証サービス事業者に自らを証明する書類を提出する必要もあったから画期的な動きではある。まずは使い勝手が悪いとされる電子署名法の改正など法制面の整備が先であるが山は動き始めた。

先頭を走るのが弁護士ドットコム。まだ効力的に不十分でシステム連携する銀行など数十社と２０２０年5月末までに契約を結ぶ必要があったが、在宅勤務で押印が要る紙の契約書に対応できなかった。そこで「ＰＤＦの契約書で契約し、希望があれば後日紙の契約書を送りたい」という苦しい対応をしている。それでも先行しており、電子署名サービスクラウドサインを提供し

8万の顧客を抱え件数ベースでシェア8割。2020年4月は前年同月の3倍強の6544社が新たに導入した。

米調査会社マーケッツアンドマーケッツによると、電子署名の世界市場は2023年までに55億ドル（約5900億円）になる。調査などを手がけるアイ・ティ・アール（ITR、東京・新宿）も国内市場が2022年度に117億円に拡大すると予測し、競争は激しくなる。

従業員シェア

かつて会社では副業禁止が就業規則にうたわれていた。それがACでは大きく変わる。人材を他社と一時的に分け合う従業員シェアを始める会社が出てきた。

固定費の負担が重くなった企業の従業員を温存しつつ、労働力が不足する会社が人材を確保できるのが大きなメリットだ。出向する社員の給与は受け入れ企業が支払い、福利厚生費も負担する。代わりに受け入れ企業と出向社員が希望する場合そのまま転籍することも認める。

従業員を他の企業に一時的に受け入れてもらうことはコロナ禍で需要が急減する外食産業でも始まっている。居酒屋大手のワタミは休業店舗の従業員の一部を人手不足の食品スーパーに出向させることを決めた。海外でも米ホテル大手のヒルトングループは仕事が減った従業員に業務が一時的に増えている企業の求人紹介を始めた。

このやり方は今後広がるかもしれない。ワタミは緊急事態宣言後の4月13日に、約５００ある直営店のうち約４００店を休業した。４月の既存店売上高は前年同月比93％減と壊滅状態であった。約８００人いる外食事業の社員の収入確保のためにひねり出した秘策は理にかなっている。人材派遣のノウハウがあってやっているのではなく一時しのぎなのではあるが、これを人材バンクのように使えるのであれば活路はある。そしてそのビジネスモデルが成功するにしろ失敗するにしろ良いモデルであり今後の未来を救う可能性がある。

たまたま飲食と同時に人材不足の農業にも触手を伸ばしていたのでひらめいたのであろう。関連の農業法人や産業廃棄物処理業者は慢性的な人手不足であった。ワタミは外部と協力して社員の出向も進めており、神奈川県地盤の食品スーパー、ロピア（川崎市）と契約して店頭や調理場で社員約１４０人がフルタイムで働く。

出向中はワタミがコロナ前と同じ給与を払う。６月から全国展開のスーパーや介護施設への出向も始める。フードデリバリーの出前館も外食産業から一時的に従業員を雇い、経営環境が良くなれば飲食店に戻すプログラムを始めた。働く場を柔軟にシフトさせることで従業員の雇用と収入を維持する試みは今後も進化していくものだと思われる。

オフィス需要が減る

かつて企業は本社をいかに立派にするかを会社のステータスとした。東京ならば丸ノ内に会社があること。大阪ならば御堂筋に会社を作ることが目標となった。ところがテレワーク業務は効率を落とすことがないことがわかり、オフィス不要論が出てきた。

アメリカではツイッターが世界の全従業員に無期限で在宅勤務を認めた。様々な専門性を持つ従業員が部門を超えて交わるオフィスは各社の創造性の源泉にもなってきた。ネット上でそれが代替えできるのであればオフィスの意味は製造業以外は何かわからないものになってきている。

今や知識の共有もオフィスに資料を置くのではなくデジタル化してネット上のサーバーで見ることができるようになりオフィスのライブラリー機能はなくなった。本社機能のおいても決定権者がネットでつかまれば良いことであり、そこにいる必要はない。

ツイッターの動きを見て米決済大手のスクエアがすかさず追随したほか、カナダに本社を置くネット通販支援のショッピファイも同調した。同社のトビアス・リュトケＣＥＯはツイッターの投稿で「オフィス中心主義は終わった」と述べ、オフィスの床面積を将来的に大幅に減らす方針を示した。

不動産業界は今戦々恐々ではあるが、オフィスが減るということは自宅にリビング以外にオフィスルームが必須となると個別のオフィス需要は出てくるのではないか。悲観的になるばかりではないようにも思える。

自宅にてテレワークする人が増えることで常時出社しない人のスペースが空くことになる。そこで会社の広さを縮小するという方法と、会社一人一人の作業スペースを拡大するという２つの方法がある。テレワークのおかげで社内の環境を見直すこともできるのである。

在宅手当

ツイッター社のような１００％在宅というのは極端な例ではあるが、今後は通勤という考え方がなくなっていき在宅勤務率という新たな言葉が企業の価値を表す指標にもなる。

今後、通勤定期を満額購入ということは企業はしなくなり、出社日だけの個別交通費精算となる。つまり交通費は減るだろう。

別途、自宅を活用させてもらうということで電気代や場所代なども考えに入れて在宅手当なるものが今後いくらに設定されるかで企業価値が左右することになる。これはまだ決まった金額はないので1万円であったり5万円であったりまちまちであるが、今後は就業規則に入るほど重要な項目になってくる。

この部分も企業を決める時に判断とされることになる。ＩＴ企業などはＩＴ仕様にするための支度金などを払うところも出ているがこれも在宅手当の一部であろう。

在宅勤務率は今の日本の業態であれば工場などの製造業でない限り50％達成ができれば優秀な方ではないかと思われる。よって今後は先方との打ち合わせにおいても出社日を聞くという別の習慣が生まれる可能性がある。

それ以外に例えば、製薬会社のＭＲ（メディカル・レプリゼンタティブ）などは担当地域が自宅を中心にシフトする可能性が高い。自分の自宅の場所によって営業地域が決まる時代になるのである。もし私が製薬会社のＭＲになるのであれば、まず有利な地域に住む所から始めるだろう。

そのような中で日立製作所が２０２１年4月から、社員3万３０００人の約7割を週に２～3日は在宅勤務にすると発表した。全社員に光熱費などの手当を支給。半分在宅を実現するため複数の施策を組み合わせる。２０２０年6月から光熱費やマスクなどの費用として全社員に月

３０００円の手当を支給する。これとは別にモニターや作業用の机などの備品購入の補助を福利厚生の対象とする。

コロナで消える仕事

欧米でBEACHと言われる仕事がＡＣで消えようとしている。

(B) Booking

レストランの予約サイト。レストランに人が行かない、旅行しないともちろん予約サイトは不要となる。さらに予約サイトのような仲介者は直接予約と違いキャンセル料など融通が利かないのがネックとなっている。

➡活路はキャンセル料とブロックでどのくらい名店との関係を持つか。

(E) Entertainment

ソーシャルディスタンスが確保できることが重要になっている。スポーツ、映画、コンサート全てに表れており、今後もテレビ観戦やオンライン観戦は続いてもスタジアムが満員になることは難しいと思われる。

➡活路はテレビにはできない同時多方面放送のマルチチャンネルの仕組み

を作る。放映料を段階別にして個別回収の仕組みを作る（例：サッカーの時にキーパーだけを映すカメラなどの設定。別料金。）

(A) Airline

せっかくのガソリン安だったのに乗客がいなくなったことで航空業界は壊滅状態。それでも船での移動はもっと危険なので航空ビジネス客は残る。

➡移動中のリスク回避をどうするのか、客席の設営をどう工夫するか、新たな技術が出てくるのかが決め手となる。

(C) Cruise, Casino

クルーズのイメージは地に落ちた。食事中に感染する恐れや空気の通路が繋がっていることの不安感が払拭されないと厳しい。

➡ブッフェで全体の食事を改善して、空調全体を循環するのを改良すれば道が開ける。

➡カジノに至っては入場時のチェックに健康の証明書を必須にし、検温をするなど入場管理を厳しくすればいいのかもしれない。

(H) Hotel

クルーズと違い部屋では感染することがないが、食事会場やチェックインをどのようにするか。ほとんどのホテルがチェックアウト時に密集するという問題点もある。
⬇部屋でチェックアウトできるようにする。食事のブッフェは極力回避する。

対面営業会社の今後

大手生保の保険販売は営業職員が顧客の自宅や職場近くまで出向き、対面で説明、契約するのが基本であった。顧客との関係構築を重視してきたため、非対面を想定した契約締結のルールが今までなかった。インターネットやスマートフォンを活用した販促支援や契約更新手続きなどのプラットフォームも確立されていない。アナログなスタイルが確立されているために変わりにくい。

外貨建て保険など、対面営業で扱う保険商品は仕組みが複雑で、投資性の高いものが少なくない点も改革の遅れに拍車をかけている。顧客にきちんと説明しなければならないため、非対面での営業にかじを切ることが難しい。

一部の保険会社は重い腰をあげて医療保険の加入や契約変更が郵送や電話で済むように切替つつある。日本生命保険も契約更新期に入った顧客に限り非対面で保障内容の見直しなどができるようにした。

それでもまだまだアナログである。他業界のデジタルへの取り組みからするとアナログ営業の世界は変わりにくい。まだ営業の鏡のように言われる夜討ち朝駆けへのリスペクトが残る。

変わる意識は少しずつ前に進み、実際に明治安田生命保険は営業職員の２０２０年度中の保険の契約目標をなくす。新規顧客の開拓をやめ、既存顧客との非対面を中心とした関係づくりに専念する。

対面営業が基本なのだから営業目標が設置できないのである。生保レディーと呼ばれる営業職員は歩合給で稼ぐのが前提。契約目標を1年間に渡って設けないのも仕方ない。

変化が遅いことのひとつには高齢化もあり、若い国の人より新しい仕組みについていくのが辛いのかもしれないが、ＡＣの時代ほど新しいものを取り入れる能力がそのまま個人や国の能力としてつながる。是非

とも常に新たなものを導入することへの気持ちを持ち続けたい。

そのような中で面白い動きが一つある。本来は対面でしか保険商品は成立しない。それは対面で生命保険に入れることで相手の体調管理をするという、営業の意味だけでなく相手の健康状態や財政状態を観察するという大きな理由が根底にあったからだ。

それを打破する動きとしてコンビニで生命保険が加入できる商品が開発された。これは衝撃である。セブンイレブンジャパンは保険大手のＭＳ＆ＡＤインシュアランスグループホールディングスと提携し、全国約２万店で生命保険の販売を始めた。

セブンとＭＳ＆ＡＤ系の三井住友海上あいおい生命保険がまずがん保険の販売を２０２０年５月中旬に始めた。ネットにつながる店内の複合機に氏名など加入に必要な個人情報を入力し、レジで保険料を支払うと契約が完了する仕組みだ。

スマートフォンやパソコンを通じて、専用サイトから事前に手続きの一部を済ませることもできる。画面で加入は可能なのかという疑問はあるが、思い切ったことではある。日本ではそんなに人を騙そうという人がいないのではという性善説によっているのではあろうが。

まだまだ他社から見るとそんなことができるのかという世界ではある。おそらく専用のコールセンターが24時間でできているので加入後にかかってきた電話がポイントなのだろう。そこである程度人物の観察をしていこうという思い切った施策ではあるのではないか。今後に期待である。

証券会社のトレーディングルームが消える

証券会社の花形であったトレーディングルーム。この存在が大きく揺れた。都会の一等地に陣取っていたいわゆる都会の象徴のようなトレーディングルームが新型コロナウイルスの感染拡大を受け、２０２０年３月以降在宅勤務のトレーダーが急増した。

当初は在宅では困難と思われたものの、その声とは裏腹に生産性が上がった。元よりトレーディングというのは個人の能力に頼っているところも大きく、大勢が集まる必要がないことが証明されてしまった。もちろん駆け出しのトレーダーを研修するためにはトレーディングルームは必要であるだろうが、莫大な費用で大きな場所を借りる必要がないことがわかったのである。

自前のパソコンからは注文執行に必要なすべてのアプリケーションが利用可能だ。チームのメンバーとはビジネス用チャットやビデオ会議システムを通じリアルタイムでコミュニケーションを交わせる。将来的には研修すらトレーディングルームではなくオンラインでできるのかもしれない。

野村證券では大手町本社が入るアーバンネット大手町ビル（東京・千代田）の３～４階を打ち抜いた株式トレーディングフロアに、３００人を超える社員たちが机を並べて働いてきた。このトレーディングルームを使わないで済むということは莫大な費用の節約となる。大きなモニターをあちこちに配置して最先端の機材に囲まれた部屋で働くのと同じ効率で自宅でできるというのは皮肉である。

出社は自己勘定取引など、在宅では難しい業務を手掛ける約3割の社員に絞った。背景には通勤時間がなくなることで在宅のトレーダーの生産性が上がったという認識がある。

実はタイミングが良かったのかもしれない。野村證券は創業100周年を迎える2025年、大手町の本社機能を日本橋に移すことが確実視されている。日本橋川、中央通り、永代通り、昭和通りに囲まれた日本橋一丁目中地区の再開発が始まる。野村が日本橋本社を置く通称「軍艦ビル」は旧館部分のみを残し、隣には52階建ての高層ビルが建つ。現在の計画の中心には巨大なトレーディングルームであったのだが、ビルの設計すらも揺がすことになった。証券業界も変わっていく。

インバウンド

長期滞在中心の戦略への切り替えの必要性

インバウンドに頼っていた日本の旅行業界は大打撃を受けた。実際にオリンピック年には4000万人の来日客を目指していたが新型コロナウイルスのせいで激減した。

JNTO（日本政府観光局）が2020年5月17日に発表した5月の訪日客数は前年同月比99・9％減の1700人だった。4月の2900人からさらに減少し、単月の人数として最少を更新した。国・地域別で見ると深刻な状況がより鮮明になる。昨年は約76万人が訪れた中国がわずか30人、60万人だった韓国は20人にとどまった。両国は2019年通年の実績では訪日客3200万人の半分近くを占めていた。

インバウンド景気の盛り上がりを享受していた日本は新型コロナによって観光業、ホテルなど多くの業種で大きなダメージを負った。しかしワクチンが開発され、新たなAC体制が確立すればインバウンドの景気は回復する。

同じ形ではないが根強い需要は入国制限が解除したら復活し、ワクチンが開発できたら爆発的に戻ると思われる。需要は戻るが、新型コロナ期間中の反省をしっかりと踏まえてインバウンドを手堅く堅固なものにしておく必要がある。

インバウンドの戦略も変わる時期である。日本のインバウンド戦略は短期滞在者をターゲットにしてきた。それは３０００万〜４０００万人の人数の訪日客を対象にインバウンドビジネスを図っていたからである。

ところが短期滞在者は今回のような事態では一気に消える。結局残ったのは日本に滞在していた長期滞在者だけであった。

長期滞在者の大きなメリットは日本人観光客のように土日祝日にとらわれない。日本人は同じ時期に動く習性があるが、それにとらわれないのでオフを埋めてくれるのである。もちろん一人一人が落とす金額も期間が長いので大きい。

日本は海外と違って旅館などが数百年の歴史を持っている場合が少なくない。それも過去から長期滞在者を受け入れてきた素地がある。幕末には武士達の定宿が各地にあった。今こそそのような文化をもう一度呼び戻し新たなインバウンド時代を作る必要があるだろう。

ホテルや旅館が長期滞在に及び腰であったのは長期滞在用の施設にはキッチンが必要であるというところだ。キッチンがありランドリーがあれば最低限の長期滞在の体を成す。そうすることで逆に飲食の売り上げが落ちる。それが嫌で長期滞在に対応していない現状がある。

でもよく考えてみよう。日本におけるインバウンドの需要の本質は、どの国からも海を隔ては

るか遠くに存在する日本に来ているのであるから、すぐに帰る短期プランよりも、じっくりと滞在を楽しむ長期滞在が極東の国日本には向いている。例えば東京に長期滞在して京都には東京の宿を残したまま一泊旅行などが理想である。

長期滞在させることで飲食の売り上げは落ちるが土日祝に2万円ずつ入ることよりも1週間延べで1万円ずつ入るほうが売り上げは高くなるし、常勤の雇用にも役立つ。

それから長期滞在施設に変えることで避難所や病室への転換ができる。災害が起きるたびに不足するのが避難所であり、病室である。

2020年5月29日には政府の中央防災会議（会長・安倍晋三首相）は国の防災基本計画を修正した。必要に応じてホテルなど宿泊施設の活用も検討することを盛り込んだ。自治体は今後、修正された基本計画に沿って地域防災計画の見直しを進める。

これも長期滞在型の所でないと使えなくはないが使いにくい。観光業全体をとれば、避難所利用者、代替え病院利用者は国家が支払いを約束してくれている超優良利用者であることを知っておいて欲しい。

東南アジア新時代

ＡＣにおいて突然ベトナムの地位が向上した。これまでに確認された感染者は累計３００名超で、死者に至っては7月末までゼロを維持し続けていた。「コロナ優等生」の国である。それもあいまって日本が海外に門戸を再開した時に真っ先にベトナムが選ばれた。

ベトナムは親日国でもあり、優秀な4カ国の一角であるタイも親日国である。ベトナムやタイの東南アジア新時代が来るのではないかと思われる。さらにタイとベトナムは人口も多い。

２０１８年の統計では、タイが６９４３万人、ベトナム

が９５５４万人。この2カ国にミャンマーやカンボジア、マレーシアが追随してくれば、ミャンマー５３７１万人、カンボジア１６２５万人、マレーシア３１５３万人とインドネシアの2億６７７０万人で合計5億３４１６万人となる。ヨーロッパ全体にアメリカを加えたほどの大市場がある。

日本の生産ラインは新型コロナのせいで止まった。理由は部品の生産が中国に集中していたために、中国と日本が相互に国境封鎖したとたんに部品供給が止まったからだ。

日本政府は緊急経済対策として中国から撤退した会社に補正予算を２４００億円用意した。

中国からの移転先の候補として有力なのが東南アジアである。豊富な労働力、低コスト、そして機能的な広い空港が東南アジアにはたくさん存在する。海に近いので海上輸送もしやすい。何よりも親日国であるので融通が利くなどの大きな利点がある。

欧米を手本に国造りしているので法律もしっかりしており、トラブル対応などもしやすいなど多くの利点がある。

また中国のように一党独裁でないので、国家の意思で理不尽な対応されることも少ない。

ベトナムの元宗主国がフランス、マレーシアが英国のようにそれぞれの国がヨーロッパの特定の国と強いつながりがあり、地理的にも日本とヨーロッパの間にあるのも魅力の一つである。

免疫パスポートという考え方

ＩＡＴＡ（国際航空運送協会）は、新型コロナウイルスの影響で大規模な運休・減便が続いている航空業界の再開に向けて、新たに5つの原則と考え方を発表した。

ＩＡＴＡのアレクサンドル・ド・ジュニアック事務局長は「航空輸送の再開は非常に重要なこと。今回発表された原則を遵守しながら、世界の航空会社は、責任を持って安全で持続可能な運航再開に向けて動くことになる」とコメントしている。

その発表の中で新型コロナウイルスにおける検査を受けた人が証明された、免疫パスポートという考え方を発表した。これはインバウンドの世界には福音になる可能性がある。

体温のチェックやソーシャルディスタンスなどの自助努力で受け入れ人数を減らしながらも事業を続けるというのは実は大変なことである。人が来て欲しいのに人数をコントロールする。相反することをすることで大きく収入は減るであろう。しかしこの免疫パスポート所持者には従来の対応が堂々とできるのである。

まだ実現はしていないが、このような取り組みはコンサートやスポーツの観戦でも同じことが適用できる。安全な人に従来どおりのサービスが提供できるようになれば、ソーシャルディスタンスなどのコントロールが不要になる。特定のアプリと連動させるのも良い。その場合はそのアプリの普及率が問題である。

ＰＣＲ検査陰性証明書と行動計画

空港到着時にＰＣＲ検査によって空港に足止めすることを義務化するとインバウンドで来日する人はいなくなる。インバウンドには来てもらいたいけど、病人は水際で防ぐということを何とか成立させたい。そのためにＰＣＲ検査の陰性証明書と行動計画の提出を求めるのが現実的な方法だ。

手続きとしては日本に入国を希望する場合は自国でＰＣＲ検査を受け、陰性証明書と行動計画書を日本の大使館などに提出する。審査が通れば日本に渡航するためのビザを発給する。

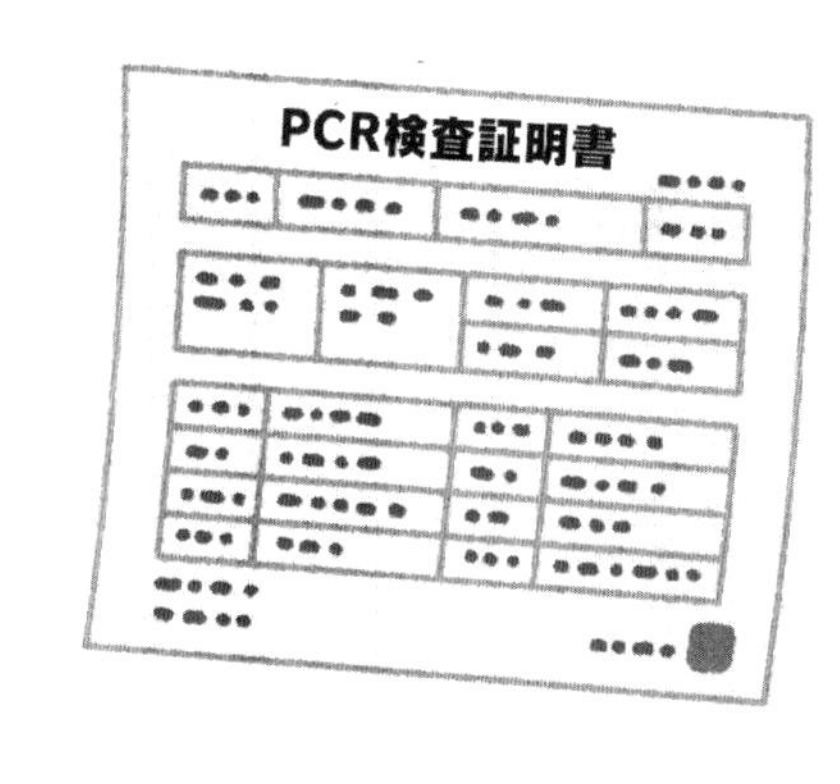

行動計画は日本入国後２週間の移動経路や滞在場所を書き込む。ビジネス渡航の場合は日本の受け入れ企業が渡航の必要性や管理体制を説明する文書も求める。入国後２週間は公共交通機関の使用を禁じる。スマートフォンで位置情報の保存を義務付ける。指定場所以外に行けば在留資格取り消しや強制退去も検討する。戦前の渡航並に管理体制が入ることになる。

問題はそれぞれに国のＰＣＲ検査の能力にかかっている。最初はビジネスから回復していき、それから観光客と段階的に動きは変わるだろう。

政府はワクチン開発後2020年1700人に落ちたインバウンド客の数を4000万に戻す目標値をまだ維持している。IATAは2024年には元の水準に戻ると予想している。2019年に年間200万人まで増えたクルーズ客はインバウンドに限れば戻るであろう。戻らないのは日本から海外に行くアウトバウンド。そういう意味でもインバウンドは重要なのである。

インバウンド新時代が来る

日本政府が2020年6月19日に2030年のインバウンド目標を6000万人にするという途方もない数字を菅内閣官房長官が発表した。あくまでもインバウンド受け入れの目標値にしか過ぎないが、その数日後のアメリカが就労ビザの発給を一部停止するという発表をした。

トランプ米大統領はIT技術者が多く利用する「H1B」などのビザの新規発給を停止する大統領令に署名した。トランプ氏は新型コロナウイルス感染の影響を受けたアメリカ国民の雇用を確保するためと説明。「数種の非移民ビザによる労働者の受け入れは、経済回復の間にアメリカ人労働者の職を奪ったり不利にしたりする危険を及ぼす」と主張した。

当然、時限的な措置でまた門戸は広がるであろうが、苦しいときに外国人を締め出すという姿勢を打ち出したアメリカは世界中から信頼を失った。経済回復には自国民優先の姿勢が明確になった。

逆に日本が日本在住の外国人に対しても分け隔てなく10万円の給付が届けられたことが世界中で話題となった。ＢＣでは日本は外国人に垣根がある国であったのが、ＡＣで差別の少ない先進国として広く知られることとなった。

これまでアメリカを目指していた優秀な人材がヨーロッパや日本に行先を変えることになった。さらにこの新型コロナウイルスでアジアの方が病気に対しての対応が良いということも広がった。

元よりインバウンド６０００万人時代を計画していたのに加えて新たな日本に向かう潮流ができてきており、インバウンド新時代が来る足音がしている。いずれ日本は２人に１人は外国人という日が目の前に来ている。

観光・宿泊・輸送・旅行業

災害対応

旅館が旅館でしかなかった。ホテルがホテルでしかなかった。バスが輸送しかできなかった。旅行業が旅行しかできなかった。そもそもそれが今回の悲劇の始まりである。業界の違う業務を不可侵するという平和な思想からと、別の業界の業務を怖がっている臆病さが招いている。災害だけではなく経営の資源活用不足による人災の意味も大きい。

例えばガラガラである旅館やホテルが不足している病室に手を上げるなどの発想はないのかというと、思い付きはするが消毒などどうするか、病室に使うと客への迷惑にならないかと考えているうちに倒産していっているようにみえる。

バスも輸送しか使えないのか考えてみることも大事である。例えば災害救助の隊員用の簡易ホテルとしても使えないのか。実際Ｆ１の鈴鹿大会では風よけにバスを並べたりもしてみた。様々な使い方を工夫してみたのか聞いてみたい。

例えば成田で今あふれそうになっている、ＰＣＲ検査待ちの入国者に対して何かできないかと考える。旅行業も旅行にとらわれ過ぎている。人が移動しないから仕事がないのではない。どこに人が集中しているか考えると、ＰＣＲ検査待ちの人が厖大（ぼうだい）にいる。ならば旅行ではなくＰＣＲ検査ツアーや、東京都知事選における事前投票をする人を募り会場までの往復ツアーなどできることはないか考えたことはあるか。

日常の業務以外の業務で自分達の特性を生かせる業務は他にもあるのだ。通常からその感性を磨いてもらいたいし、そのようなマニュアル作りをしておきたい。

ソーシャルディスタンスと売り上げ

レストランにおいて、ソーシャルディスタンスを確保する代わりに対価を上げるという方法があるが、このやり方は結果顧客が離れるので実らないだろう。うちは良いものを出したいので高くしても大丈夫という自信はいいことだが、顧客が泣く方法で成功したことはない。

どんな外部的な理不尽があっても顧客に反映させる解決は成立しにくい。そうであるならば会員制にして、完全予約制で身元を把握できるようにするのがいい。また健康状態をアプリなどで証明した上で来てもらうことで過剰なソーシャルディスタンスも必要なくなる。

イベントにおいても定員の間引きなど政府からの方針が出ているがそれはイベントの本質も知らない人が計算だけで述べているからそうなる。例えば客席を間引いて半数になっても採算が取れない。国の指針ではもっと減らされる傾向にある。指針どおりすれば30％も客席を使えないことになりかねない。

赤字開催しか選択肢がないとなるとイベントは運営許可が出てもやりようがない。ソーシャルディスタンスは大事だが赤字運営ならば誰もやらない。

スポーツの世界では空いている観客席に応援ボードを置く権利を売ったりしているが、これも実際に自分が行かないのに応援していると選手に見てもらうためにお金をかけるのはよほどのファンだけだろう。気持ちはわかるが満足度で考えると続かない。ほぼ寄付の気持ちでする人だけだろう。

今、イベント会場内の気流をシミュレーションし飛沫の経路を調べる研究が行われている。ついたての高さや置き方の工夫、換気の改善により参加人数をせめて客席の75％以上にできるようにする。まだこちらの方が実施確率は高くなる。さらに新たなイベント会場作りの指針にもなる。

テーマパークの進む方向

フロリダのディズニーワールドが先駆者としていくつかの新しい試みをしている。来場者にはマスクやフェースカバーの着用とテーマパークの入り口での検温を求める。園内のアトラクションやレストラン、モノレールなどでの体系も変わる。来場者が互いに約2メートルの距離を取れるよう一度に利用できる人数を絞る。

レストランではマジックバンドと呼ばれる腕輪型の独自端末や、アップルペイなどスマートフォンでの非接触決済を促す。将来的には同じアプリでソーシャルディスタンスなどを注意しあうようになるかもしれない。

一方、花火やパレードといったディズニーの目玉イベントは再開後も当面開催しない。人混みを防ぐのが難しいためだ。キャラクターとのハグなどの接触も認めない。キャストの待機所の面積も大きくした。

花火などの不特定多数対象イベントの開催については将来的にはアプリの導入で距離を保てるようにするなどの方法もあるが強制力がないので、今後は警備の業務が増える方向になるのかもしれない。

中国方式は可能か

中国の新型コロナウイルスへの取り組みは刮目するべきものがある。それは個人情報の開示も同時に行ったからである。マイナンバーで個人情報を国に開示したくないと大半の国民が反旗を翻す日本では難しい取り組みであるがどのようなものか見てみよう。

真っ先に導入されたのが健康コードである。健康コードとはスマホ画面上で表示するQＲコードで、持ち主の新型コロナウイルスの感染リスクを示す。再開した上海ディズニーランドでも入場時に提示を求められ、今や中国各地の様々な施設や公共交通機関で健康コードを確認することが当たり前。もはやデジタル通行手形だ。

ここ数年、電子マネー決済の普及で中国ではスマホが手放せなくなっていたが、今はスマホ抜きには自由な移動すらままならなくなってきた。スマホのない人は入場や交通の利用も認めない社会になっている。

健康コードのシステムは地方によって方式が異なるが、基本的には中国人なら誰でもスマホに入れていると言っても過言ではないアリペイ（支付宝）やウィーチャット（微信）といったアプリを利用する。

利用の流れはこうだ。まず施設ごとに用意されたQＲコードをアプリで読み込むか、アリペイやウィーチャットペイから健康コードのプログラムを起動する。

コードはリスク程度によって緑・黄・赤の3段階で色付けされている。緑は基本的に健康に問題がない。黄はコロナ感染者との濃厚接触や入国直後などで隔離期間中である。赤は感染者であることなどを示している。

すごいのが感染者は感染者ですと言わないといけない。濃厚接触者はそれも開示する必要がある。これは自己申告などのような曖昧なものでなく判定されたものが出る。中国政府は「新規感染者が出ても24時間以内にクラスターの追跡を完了する」という方針を示した。

それができるのは健康コードが通行手形として使われるようになり、持ち主の移動情報を簡単に捕捉できるようになったことが大きい。

もちろん国家主導で行っているこの健康コードは香港問題などをかかえる中国政府にとってみればこれ幸いとばかりに国家の保安のために活用しているのが自明の理ではあるが大義名分は国民の安全となっている。

行動管理全てを含めたこの動きは実は導入すれば日本も安全にイベントが開催されたり、危険な人を排除できるメリットはある。このようになるかどうかは今後の危機しだいであるかもしれない。大きな危機が

くればやむなく中国方針を取り入れ、位置情報や移動情報も管理せざるを得なくなる。

個人的には、全国民にこれをするのでなく感染者に対して常に位置情報を追跡できる、感染者限定のプランが日本にはいいのではないかと思う。そしてアメリカのCDCのような強権をもったセクションを設立し、感染者の動きをスーパーコンピューターを駆使しながら管理するのがいいと思う。

レストランから宅配への流れ

巣ごもり消費が定着化してきたことで、今までに宅配をしていなかったレストランなど飲食店が宅配対応に切り替わった。宅配対応できない店はもちろん淘汰されていっている。

宅配というのは効率的に言えば、ウオークインで来てくれるお客さんより手間がかかる。ひとつには使い捨ての容器を用意することになるのでその分のコストがかかる。レストランによっては盛り付けなどの美学があるなかでプラスチックの容器に自分の食事が詰め込まれることを嫌がるシェフもいるだろうと想

像に難くない。

だが背に腹は代えられないので100歩譲って宅配対応するが、メニューによってはスープが多かったり生クリームが倒れたりで宅配用のメニューは変えざるを得なくなっているとは容易に想像できる。お箸やスプーンもつけなくてはいけない。

ウオークインしてくれている顧客へもソーシャルディスタンスが必要となり満席状態を作れない。必然的に宅配でカバーしていくしか生きる道はない。もしくはソーシャルディスタンスの分だけ料理単価を上げるかである。

現在宅配業界はアメリカではドアダッシュとウーバーテクノロジーの一騎打ちになっている。日本では雨後の竹の子のように様々でているがウーバーテクノロジーが一つ頭を抜きんでている。料理宅配業界の収益の仕組みも今固定化してきつつあるが、これも今後新たなビジネスモデルがでれば業界再編の可能性もある。

現在の料理宅配サービスは消費者からのアプリ利用料と飲食店からの販売手数料、配達員からの業務仲介料を受け取って稼ぐのが基本。消費者からのアプリ利用料は料理代金の10％が相場で、店舗側の手数料なども含めると代金の3割前後が実入りとなる。これはかなりの利益率で料理を作る側からすると運ぶだけでそれだけ稼ぐのかとなりかねない。今後どうなるか注目していきたい。

ニューヨーク市のデブラシオ市長は5月下旬、手数料の上限を代金の20％とする規制案に署名。

シカゴ市は5月から料理宅配各社に対し、レシートに手数料などの明細を記載して消費者への透明性を高めるよう義務づけた。

今後の予想されるのは、お箸やスプーンを出さずに自前で用意してもらうようになったり、月間契約をして容器を預けたりする会員制の動きが必ず出てくる。業界はこれから激変するだろうと思う。

アウトドアに活路

日本は80％が山で、火山と海に囲まれた特殊な環境にある。それなのにＢＣにおいては旅行需要のほとんどが都会中心であった。インバウンドの復興を待っているうちに現在不思議なブームが起きている。東北や北信越地方の山岳地帯を観光するプランの予約が例年よりも伸びているのである。

宿泊施設や食事が全て用意された豪華（グラマラス）な野外でのキャンプ、グランピングが人気だ。千葉県長生村でグランピング施設を運営するＢＵＢ（東京・品川）によると、今月から予約が増え7～8月の3連休以上の休日はほぼ埋まったという。

日本はキャンピングカーの保有台数が欧米と比べて少ないせいもあり、まだアウトドア文化が育っていない。施設も駐車場に毛が生えたような設備しかない。そもそも台数はキャンピングカーのビルダーやディーラーが加盟する団体、日本RV協会によると11万台ほど。保有台数950万台を超えるアメリカを始め、550万台のヨーロッパ、100万台のカナダなどの欧米諸国に比べるとその差は一目瞭然。

国産キャンピングカーは普通の駐車場にも止められる2×5mサイズに収まるよう設計されているタイプが一般的。それでもルーフにバンクベッド（就寝できるスペース）などを装備していると、立体駐車場などでは高さが合わないこともある。買い物では屋根なしの駐車場がないと停められないケースも考えられる。

観光地では周辺の道が狭かったり、キャンピングカーを停められる駐車場が少なかったりすること、キャンピングカー専用設備が整ったキャンプ場が少ないことなども日本での普及を妨げている要因になっている。地方には土地が余っているのであるから今後は大きく改善される要素が広がる。

それと日本ではどちらかというとキャンピングカーは移動型が多い。温泉巡りや北海道一周などキャンピングカーで寝泊まりしながら各地を巡るという使い方だ。温泉に泊まるのでキャンピングカーが長期滞在型になっていない。今後は欧米型に切り替わっていくものと思われる。

就活

国内人材に戻る

２０２０年度のマイナビの企業採用状況調査（２０１９年11月19日～12月６日　ＷＥＢ調査１２０９社）によると、外国人留学生を採用する予定の会社は２０１８年度15・４％であったのが２０２０年度には35・８％と拡大を続けていた。それがＡＣでは外国人留学生の採用を控える傾向が出てきた。

２０２０年の同じマイナビの調査によると外国人留学生の採用率はわずかに２・２％となった。（調査対象３１０名中の採用者は７名。内訳は日本の大学への正規留学２７５人。交換留学９人。語学学校・専門学校２４人。その他２人）。大学生平均の50％よりはるかに低い数字である。

新型コロナウイルスによって帰国したり来日できなかったりすることが相次ぎ、加えて社会保険の加入や在留資格の取得などの手間なども相まって、海外の人材を避ける方向に流れていることがわかる。

また非接触型の面談が行われるようになって地方から移動の負荷なく都会の企業への受験が拡大してきた。ひとつの理由としてテレワークが可能になり地方在住のまま勤務できる企業が増えてきたことである。特にＩＴ系は１００％に近く、在宅勤務の方向に動いているのが大きい。

このように地方の人材が海外の人材に入れ替わりうまく機能しはじめたことで今後も採用の不足分は地方に目が向けられるようになる。

地方の人材を生かすための工夫も今後は必要となる。テレワークの仕組みだけでなく、都会へ移住する場合の住宅補助について見直される時期がきた。本来住宅補助というのは企業に就職して転勤の辞令が出た人に配給されるものであった。それを地方から都会へ就職をする人にも新入社員の段階から支給する企業も出てくる。そのようにして優秀な人材確保競争が国内に行き渡るだろうと思われる。

オンライン面接

ＢＣでの説明会や面接は、たくさんの候補者を集めてたくさん落としていた。釣りで言えばトローリングのような方式だった。しかしＡＣでは人が集合することを避けるようなり、カツオの一本釣りのようなオンライン面談方式が主流となっていく。

オンライン面接においては、今までの面接と違って別のスキルが必要となる。このことによって今まで通りでは受かっていた人が落ちて、受からなかった人が受かるというケースも出てくる。受験のテクニックも変わってくることを知っておきたい。

企業の採用者に訴えかけなくてはいけないのは、パソコンのスキルが十二分にあること。自宅のレイアウトも見る人に配慮にも慣れていること。オンラインでの会議できていることなど。このような部分を強くＰＲすることが必要となってくる。

そのための細かいスキルとしてカメラの位置や照明の角度、画面のどの位置に自分を配置するか。本棚に賢そうな本を並べておくなどの演出、過去に表彰されたトロフィーや賞状のさりげない配置、ラグビーボールなどの趣味を一目でわからせる工夫などが必要になってくる。

自分を演出してプロデュースすることが必要である。

在宅勤務前提での雇用が増える「ジョブ型」

通常雇用の場合は、住居が勤務地に近いことを前提に選ぶので、通勤にどのくらい時間がかかるかなども選ぶ側の要素として成り立っていた。それが様変わりしつつある。

在宅での勤務前提であれば、家庭環境が在宅に適しているかが面接の重要なポイントになる。例えばＷｉ－Ｆｉはちゃんとあるのか、常時接続の環境下にあるのか。自分の空間が確保できるような場所であるか。加えてＩＴリテラシーが高いかなどは必須の要素になる。ペットを飼っている人は落ちやすくなる。選ぶ方の立場で考えるとペットがいる家では集中して仕事ができるとは考えないからである。シェアハウスの人も落ちる。そのような価値観ができあがっていく。

国内企業の多くは労働法制の制約もあり労働時間に応じて賃金を支払う仕組みが長く定着していた。会社でない場所で働く社員を時間で管理するのが難しく、労働基準法で定められた残業代支払いルールに抵触する恐れもあった。

こうした問題を解決するため、企業はジョブディスクリプション（職務定義書）で社員の職務を明示し、その達成度合いなどをみるジョブ型雇用の導入を進めている。

資生堂は少なくとも約８０００人のオフィス勤務の一般社員を対象に２０２１年１月からジョブ型雇用に移行する。オフィス出社人数を５割にする在宅勤務継続も決定。管理職では２０２０年１月に導入済みのジョブ型の対象を広げる。資生堂は「遠隔でも職務に基づく評価がしやすくなる」としている。

富士通も20年度から国内の課長職以上の約1万5000人を対象にジョブ雇用を導入し、その後他の社員にも広げる。日立製作所が約2万3000人を対象にしたジョブ型雇用の導入を開始。NTTグループも成果連動の評価制度を検討する。

雇用方法も変わる。IT企業ではプロ野球のように契約金を用意して在宅環境を整備してもらうように事前に一定の振込をするところも出てきた。ある意味お金を払うことで他社に逃げないようにしているのかもしれない。

ソフト開発テストを受託するSHIFT（シフト）は、在宅勤務専門の正社員エンジニアの採用に支度金を100万円払うことを明言した。シフトは「拠点を構える地域に限定しないことで、広く優秀な人材を採用できる」と説明する。

さくらインターネットは出社を前提としない雇用契約を今後、一部の機器保守要員を除いた新卒社員と結べるようにする。レンタルサーバーなどを手掛けるGMOペパボは6月から約330人の社員全員が原則在宅へと移行。「国内ならどこに住んでもいい」と採用条件も変えた。

給与の制度も変わる。時間の管理ができないのだから変わらざるを得ない。評価方法はジョブ方式が中心だが付随する手当も見直し元年となる。

AGCは在宅勤務に伴う社員負担費用の半額を、1人当たり年最大12万円まで支払うことを決めた。ネット回線の利用料や作業用モニターの購入費などが対象。福利厚生サービスに使える社内ポイントの適用範囲を、在宅勤務関連にも広げる。

メルカリは自宅からオフィスまでの定期券代の一括支給をやめた。浮いたお金で1人当たり半年間で6万円の在宅勤務手当を支払う。グループ従業員1800人の大半を対象とする。

この流れについて来ることができない企業はおそらく淘汰されていく。

ACとなり、企業は新卒でもリモートに手慣れた飲み込みの早い人材は4月に関係なく通年で確保し始め、経験者である中途採用者との垣根が少なくなってきた。

大学卒業と同時に一斉に入社し、先輩や上司の指導のもとで少しずつ仕事を覚えていく。その少しずつ仕事を覚えていくということに待てなくなってきている。若年者ほどITリテラシーが高く、すぐに業務に入れるというのも一つの理由ともなっている。

通年入社への切り替え

日立製作所は2021年度採用から、新卒者が入社時期を卒業後1年以内で自由に決めることを認める。留学や関心のある分野の勉強など、自分の成長のために時間を使ってもらう。

社員は能動的に得意分野や専門性を磨くことを求められるようになった。会社の一員になる段階からキャリア形成意識を持たせようというのが通年入社制度だ。職務を明確にして能力・実績で評価するジョブ型雇用への移行準備という側面もある。

NECは2021年4月入社者から、新卒でも優秀な人材なら専門性の求められるポストに配置する制度を設ける。データサイエンス、サイバーセキュリティーなどの分野が対象で、報酬は職務や役割に応じて決める。

新卒者にジョブ型など能力・成果重視の人事制度を導入すると、どのような影響が出るだろう。勤続何年ならこのポストに昇格、といった年次主義の雇用管理を維持するのは難しくなる。年功賃金や順送り人事を生んできた年次管理を見直す好機といえる。

今後入社時は一律いくらという固定給の考え方もなくなるだろう。仲間意識よりプロ意識優先の時代になる。

ギグワーク時代が来る

仕事の就き方について、新たな動きが拡大している。そしてそれは就職でもない。副業でもない。どこにも所属しないフリーランスの業務である。

ギグワーカーとはインターネットを通じて単発の仕事を請け負う労働者を指す。米ウーバーテクノロジーズなどの配車アプリを通じて仕事を請け負うフリーのドライバーなどが代表格だ。

小規模なライブハウスで、そこに居合わせたミュージシャンが一度限りの演奏に参加することを意味する音楽用語「gig（ギグ）」から派生した。

近年、企業とギグワーカーをマッチングするプラットフォーム（情報基盤）が続々立ち上がり、仲介される仕事の種類も多彩になってきた。

人によってはハンドルネームで業務を受けているので、その人が男性か女性かまたは老人か子供かすらわからない。それが本業なのか副業なのかもわからない。発注する側からすると頼んだことをきちんと納品してくれればいいのである。

プログラミングなどは、英語さえできれば日本以外の国からの発注を受けて、海外の銀行に送金してもらうことで日本の口座に記録が残らないことも出てくるだろう。今後凄腕のプログラマーが中学生だったり、子育て中のお母さんだったりすることもあるだろう。

ギグワークは時間があるとき、自分の力量に合わせてできる仕事なので今後は間違いなく拡大していき、大きい市場になる可能性がある。

プログラミングなど高度なＩＴ関連の業務や法務や経理、人事といった仕事も高い専門スキルを持つギグワーカーによって担われるケースが増えている。

政治経済

オンライン審議

議員の出席は実際に議場にいることを前提としてきた。憲法56条の規定にある議案の採決に必要な本会議の開催について「総議員の3分の1以上の出席」を要件として定めている。委員会の審議も国会法49条が「半数以上の出席」と規定。

情報技術の発達によってテレビ会議が可能になっても、与野党でオンライン出席を認めることはしていない。その部分にメスが入ろうとしている。憲法を変えるのは大変だろうからまずは出席の解釈をどうするかを定めたい。

集まらないと決めてはいけないというのはオンラインの存在しなかった明治時代の話で、そもそも日本はイギリスの議会制度を取り入れているために中世のイギリスのままなのである。

各国の動きは日本よりよほど早い。日本が議会制度を導入したイギリスでは下院でオンライン会議を導入。本会議場への出席議員を制限した。イタリアでは本会議の議事は緊急性の高いテーマに限定して、委員会ではオンライン審議を導入した。スペインでは採決での電子投票を取り入れた。欧州連合では在宅議員による電子投票を導入して決定を早めることに成功。

そもそも日本はたくさんの議題があるに関わらず、議員は会期が終わるとそそくさと地元に帰り残りの半年はべったりと地元に貢献する。それに慣れているから変わろうとしない。地元にいても採決できるようになれば会期に関わらず全国で重要案件が議決できるのではないか。

議会制度の大きな改革にオンラインが重要な役割をしめす。

大都会の凋落（ちょうらく）

テレワーク、オンライン授業などにより地方が生き返る。同時にそれは東京を代表とする大都会の凋落にもつながっていく。

本社機能は都会に残すので法人税はある程度は確保できるが、今後はユニクロやトヨタのように地方に本社機能を残し、そこで多額の税金を納めることで地方での便宜を図らせるようになっていくと思われる。ふるさと納税の法人版が今後できる。

それより以前に新型コロナによって都会は大きくダメージを受けた。その筆頭が東京都で、コロナ対策として計上した予算は1兆円に上る。検査体制の強化、休業協力金の支給、感染防護具の備蓄、オンライン学習の環境整備など。

東京都がコロナ対策で編成した２０２０年度の補正予算はすでに5回に上る。その財源として主に使ったのが都の貯金である財政調整基金だ。当初予算の段階で約９３５０億円もあった残高（年度末の見込み額）は４９３億円と、一気に20分の1に激減した。

家庭で言えば貯金を使い果たした状態である。都財政にとって脅威なのはこれから明らかになる税収減だ。２００８年のリーマン・ショックでは1年で税収が1兆円落ち込んだ。その後経済と税収は回復したが、オリンピック後の日本の行方がまだ見えない。

東京は制度上の弱みも抱えている。他の自治体の場合、税収が減ってもその7割程度は国が地方交付税として補填してくれるが、不交付団体である都は国に頼れない。自前で帳尻を合わせなければならないということだ。

新型コロナ期間中に品川区が個人への給付を5万円積み増した。そして今、品川区への人口移動が起きている。大都会の新たなライバルとして地方都市が名乗りをあげてきた。私はこれを食い止めるのは特区であると確信している。今後の政策しだいで大都会が転げ落ちるか復活する。

行政権限の強化

新型コロナウイルスが状況を一変させた。感染症対策として行政が公共の利益のために私権を制限する場面があったが、何をするにも行政には権限がなく「お願い」で終わり、世界からは不安視された。

短期間に判断を下す必要に迫られる分、行政が民主的な合意形成プロセスを経る時間もない。そのような状況下でまだ各地の知事が動けたのは権限が集中していたからだが、それでも国と地方の権限が分かれておりまた「お願い」に頼らざるを得なかった。

他国では都市封鎖（ロックダウン）も含めて市民の権利を中央政府が厳しく制限しており、日本にも強権があればもっと早期に解決できただろう。

今回臨時病院の設置などに関して私権制限を可能とする「緊急事態宣言」が新型インフルエンザ等対策特別措置法に基づいて発令されたが、警察や軍隊を動かす権限があるわけでもなく、パチンコ店にすら営業しないで欲しいとお願いするに終わっている。

休業しないパチンコ店の名前公表程度のことしかできないのは、戦後のＧＨＱ行政による大きな権限を特定の組織に与えないという敗戦国の理論が働いている。

２０２０年3月28日号のThe Economistでは「パンデミックと戦うには大きな政府が求められている」「第2次世界大戦以降、最も大規模に国家の役割が大きくなっている」と書かれていた。さらにスペイン風邪に関する歴史書でも「(大規模感染症流行の時は)民主主義もきわめて危険な政治形態となりうる。本当に必要とされるのは(略)すべてを掌握する、強力な中央集権である」と論じており、強い組織は必須であることがわかる。

国立感染症研究所に対しても捜査権、逮捕権をせめて持たせる必要がある。

例えばアメリカジョージア州アトランタにある、ＣＤＣ(米疾病対策センター)は年間予算約８０００億円、海外の支部も含めた総職員数は約1万４０００人。バイオテロ対策も含めて担当している。

アウトブレイクが起きると疫学や病理学など各部署から専門家を集める。衛星携帯電話やパソコン、医薬品、防護服などが用意済みで、出動の際はこれらを荷詰めして飛び出していく。

韓国の新型コロナウイルス対応が称賛をあびているが韓国の医療体制はＣＤＣのマニュアル

を活用していた。権限をパンデミック下では集中させること。日本のように政治家がリードするのではなく、感染症の専門家に大きな権限を持たせることが大事になってくる。

金融業務のルネッサンスに備えよ

新型コロナウイルスの発生源として中国が国際社会で批判を浴びる事となった。国際社会の一員として中国をそのままにしておいていいのかという論理が沸き上がっており、アメリカを先頭に中国は苦しい立場に追いやられた。

アメリカの追加制裁の選択肢の中で中国にとって最も影響が大きいのが、香港ドルと米ドルの自由な交換の制限だ。香港ドルは値動きが米ドルに連動するペッグ制を採用している。仮にアメリカが制限に踏み切れば、香港経済への影響は計り知れない。同時に香港に進出するアメリカの金融機関も被害を受けることになる。

金融分野では、アメリカの株式市場に上場する中国企業への投資を制限する法案や、香港の自治の侵害に関わった人物と取引関係のある海外の金融機関にも制裁を科す法案なども米議会で審議中だ。中国企業の資本調達や香港に進出する外資系企業の運営に幅広く影響する可能性がある。当然中国は内政干渉だと反発を強めた。

新型コロナウイルスによって孤立した中国は自らの手でさらに孤立を深めることになった。香港の独立運動に対して中国が強硬手段に出たのだ。

中国の警察権が香港に及ぶという改正を含めた香港国家安全法が２０２０年7月1日に執行され、たくさんの活動家が逮捕された。

ユーロやドルの使用についても制限が加えられ、海外諸国と中国は今後反目し合うことになるだろう。金融自由都市として成り立たなくなるのが明確になり金融業の香港脱出が始まる。

在香港米国商工会議所のアンケートによると、会員企業の29％が資本や資産、ビジネスの移転を考えると回答。この流れは清朝が崩壊し、日本がアジアの中心になった明治期に類似している。当時の日本は日露戦争の勝利もありアジアの金融文化の中心となっていた。中華人民共和国では革命の父と呼ばれている孫文を含め、国際的な活動の中心が上海から東京に移った。また現在のアジアの金融である香港の金融センターとしての崩壊が日本に好機を生み出そうとしている。

ＩＦＣＤＩ（国際金融センター）発展指数によると1位ニューヨーク、2位ロンドン、3位香港、4位シンガポール、5位上海となり、日本はかろうじて6位をキープして7位の北京にまもなく抜かれようとしていた。その流れは今後も変わらないだろうと誰もが予測していた中で香港の崩壊がスタートした。

今後中国政府は香港に治安維持機関を新設し、司法や教育などあらゆる面で関与を強める。新法では反中的な言動や過激な抗議活動を念頭に国家分裂、政権転覆、テロ活動、外国勢力と結託して国家安全に危害を加える行為の４類型を犯罪として定め、刑事責任を問う。最高刑として終身刑を適用する。香港では外国人を含め「いかなる人もこの法律を適用する」と明記した。香港の選挙を操縦する行為や損害を与える行動も罪に問われるとした。

中国政府は新法に基づき香港に治安維持機関の国家安全維持公署を新設し、国家安全に関わる情報の収集・分析や犯罪事件の処理を扱う。香港は外国籍の裁判官が多く、司法の独立を担保してきたが今後は国家安全にからむ事件を審理する裁判官は行政長官が指名する。外国籍の裁判官が排除され、判決が常に中国寄りになる。このような国ではビジネスが自由に育たない。

香港はイギリス統治時代から行政の介入を最小限にするレッセフェール（自由放任主義）と呼ばれる経済政策を取ってきた。２０１９年の世界銀行のビジネス環境ランキングではニュージーランドとシンガポールに続く３位。各種税率も低く、金融機関をはじめとする多くの欧米企業が香港にアジア拠点を置く。

しかし新法施行でビジネスを支えてきたインフラが揺らぐ。アナリスト達は中国に不利な分析ができないので金融予想が正確に取れないことも金融家が逃げ出す理由ともなる。新法は解釈の余地が大きく、国有企業の不正追及や共産党批判が取り締まりの対象になる。

シンガポールに移転するという方法もあるが、シンガポールも中華社会の一員であり中国の影響を受ける。台湾という選択肢もあるが、こちらも中国の影響を受けやすい。そしてソウルは北朝鮮と中国、アメリカの間で動いており不安定な上に空前の不景気でＩＭＦ（国際通貨基金）管理下になろうかとしている。昨今上昇気流に乗っていた上海・北京は中国の都市であるからもちろん除外。以上の理由で東京が今後、国際金融の中心都市として唯一無二の存在になっていく。

懸念事項は大きく３つある。１つは日本という国は基盤として金融の知識が弱いこと。２つめは厳しい規制が邪魔をしていることである。そして３つ目は金融について教育する場が少ないことである。

まず金融知識についてであるが、リーマンショック時に理解力のなさを世界に露見してしまった。それはリーマンショックを引き起こしたデリバティブ商品について日本の金融専門家が解説できなかったからだ。

もちろん商品を作る能力もないのが実情だった。それは金融の専門家を作るイエール大学のような大学が日本にはないせいもある。原理や原則を教えるだけでは専門家は育たない。

２つ目の障壁として日本の厳しい規制が金融立国の邪魔をしている。法人税の税率が高いというのもあるが、大きな壁になっている例をあげると、運用成績と連動する役員報酬は現在、上場企業でなければ損金（経費）と認められない。

先進国では珍しい仕組みで、金融機関のアジア部門トップらが日本を避ける一因とされる。日本の税制は海外資産まで広く網をかける。相続税も世界の金融界で評判が悪い。どんなことがあっても日本で死ぬことだけは避けろと海外で言われている。

所得税については自民党の外国人労働者等特別委員会で引き下げを求める声が上がる。現在、1千万円の課税所得に対する日本の税率は33％と、シンガポールの15％や香港の17％に比べ高い。1億円の場合は日本は45％、シンガポールは22％、香港は17％とさらに差が広がる。金融所得に限れば日本の15％に対してシンガポール、香港は非課税だ。

課題は税制だけではない。日本の在留制度も外国人をはねつけている。今の在留資格制度は家族以外の帯同を1人しか認めない。海外のように家政婦と運転手をそれぞれ雇う生活が送れない。家政婦が自身の子供を連れてくるのも難しい。

3つ目の金融教育機関については、金融立国や国際金融都市の構想でも最も時間がかかる部分である。

政治の大きな判断が金融立国として世界にリーダーになりたい日本を左右する。100年に一度の金融立国のチャンスが今であることを知ってほしい。

第3章　ＡＣでどう変わるか

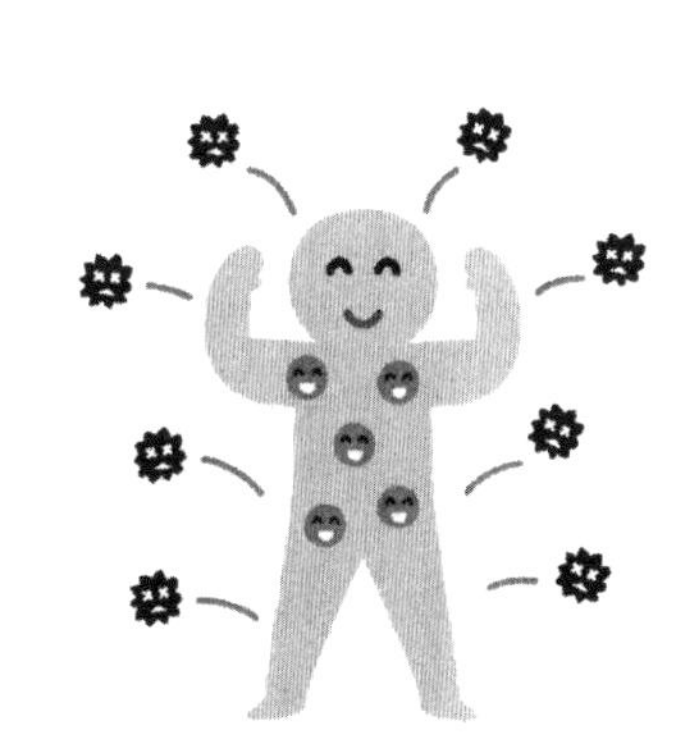

医療

ワクチン開発

現在ワクチン開発合戦が起きている。同じ目標に向かうことで情報の共有や国家間で開発をサポートする動きが進んでいる。新型コロナをやっつけるという共通の目的で世界がつながった状態になっている。医薬開発にとても恵まれた環境になっているのを製薬会社は気が付いていると思う。ＡＣは医薬開発の時代が来る。

今回の新型コロナの騒動はワクチンが開発されて、全国民に配布した時点で終了する。日本政府としては２０２１年7月のオリンピックに間に合うかどうかが大きな問題である。

実際どのようになっているかというと加藤勝信厚生労働相は２０２０年7月31日、米製薬大手ファイザーが開発中の新型コロナウイルスのワクチンについて、２０２１年6月末までに日本が6千万人分の供給を受けることで基本合意したと発表した。新型コロナウイルスのワクチンで初めて製薬会社から供給を受ける合意に達した。

ワクチンは感染症の予防に使われ、接種することで体内にウイルスなどに対する免疫を獲得できる。ファイザー側も同日、臨床試験（治験）に成功すれば、2021年から日本に供給すると発表した。同社のワクチンは1人2回の接種が必要になる見通しで、日本向けは1億2千万回分となる。

同社はドイツの製薬ベンチャー、ビオンテックと共同で開発を進めている。10月にもアメリカで緊急使用許可を取得するための手続きに入るという。日本への供給には日本人向けの治験が必要になるとみられる。

当初は2年かかると言われていた開発が前倒しになってきているのは、今のコロナ禍で各国や各製薬会社が情報共有などの利益抱え込みに走らずに協力体制にあるということだ。やればできるのである。

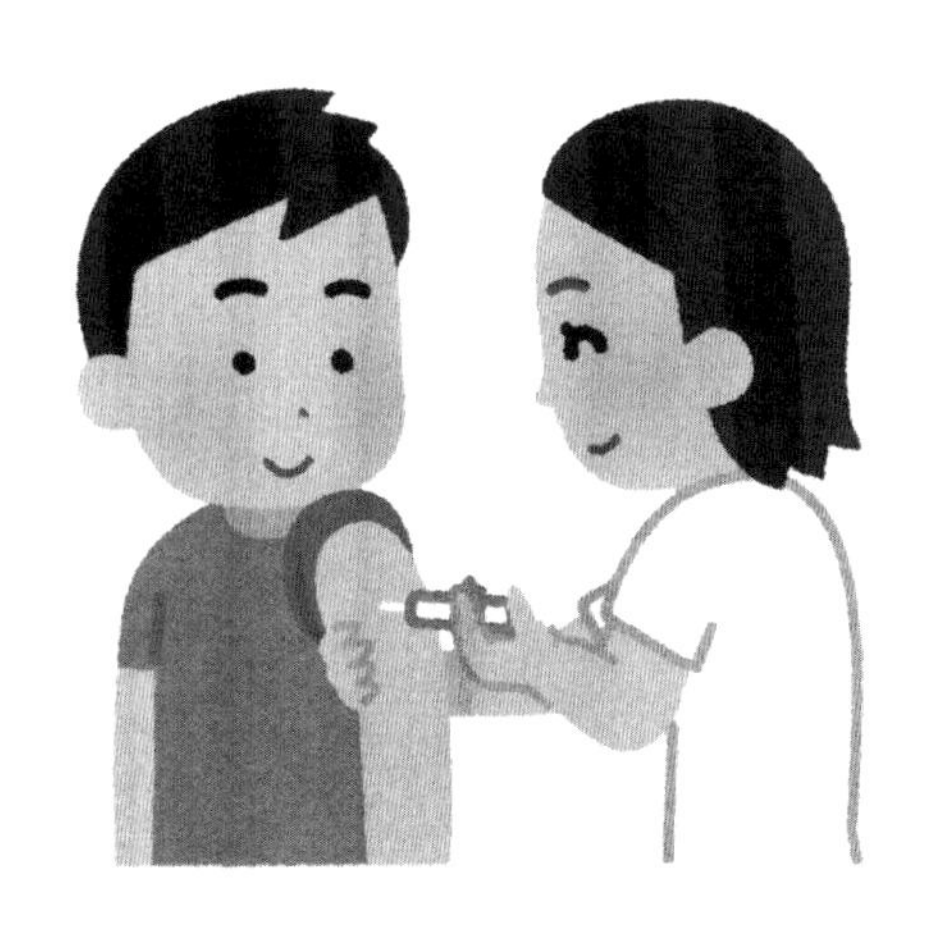

病院は待つ姿勢の経営からオンライン診療へ切り替え

病院経営が悪化している。とくに耳鼻科・眼科が倒産の危機にさいなまれている。眼科などは検査での収入が大半を占め、コロナ禍においては検査などは我慢できるので収入が激減した。従来の病院は生活習慣病の治療というのが主眼であった。それが新型コロナウイルスの自粛の影響で検査を控えるようになった。生活習慣病中心の医療現場が変わってきたのは数字にも表れてきた。病院団体が4月18日に発表した集計によると4月時点で8割の病院で経営が悪化した。院内感染を恐れて通院を控える患者が相次いだのに加え、病院側も感染を防ぐため入院を減らさざるを得なくなったからである。

日本病院会や全日本病院協会などがまとめた病院経営状況の調査結果（速報値）によると、回答した全国1049病院の4月の平均損益は約3600万円の赤字で全体の8割の経営が悪化した。2019年4月の400万円余りの黒字から赤字に転落。収入が前年同月比10・5％減。一方で費用は1・4％減だった。

	2019年4月	2020年4月
収入	4億4,690万円	4億6,000万円
費用	4億4,182万円	4億3,551万円
利益	429万円	▲3,610万円

（注）1病院あたりの平均値

前述したがこのようなネット時代に病院の経営が一時的に苦しくなることは仕方ない。逆にオンライン診断への切り替えが必要となる。

それではどのように変わるのかと言えば、今後はより重症患者や早急に治療が必要な患者への遠隔診療の必要性が増えてくるだろう。集中治療の専門医がＩＣＵに入院する患者を遠隔でサポートする、遠隔ＩＣＵも日本ではまだ数十床。アメリカではすでに全体の３割ほどは対応しているとされる。

各病院に病室への訪問が制限されるようになり面会室のようなものができるようになる。それはモニタールームで病室のカメラ・モニターまたは携帯とオンラインでつながり、差し入れの果物や着替えなどは別途届けられる。

病院によっては患者単位で面会する人の個別のブースを作るようにするところも出てくるかもしれない。そこで飲食をしたり交流を深めることで、従来どおり役割を担うことができるだろうが、接触は避けられる。

費用のかからない仕組みとしては病院の面会が、よく映画に出てくるガラス越しの電話を取っての話をするようになるだろう。そうなると面会室の充実や遠隔サービスの充

実度が進化していくだろう。

　実際新型コロナウイルス自粛下でも産院で立ち合い出産を求める夫婦に日本産科婦人科学会は２０２０年4月、ホームページで「感染予防のため立ち会い分娩を制限する」と伝えた。それでも強く希望する人が後を絶たず結局オンライン出産立ち会いが行われた。

　病院は今後検診のために来る人は増えることはないだろう。そうだとすれば活路はオンライン診療である。しかし現状はアメリカでは9割の病院が電子カルテを使うのに対して日本はまだ4割程度である。最先端であるべき医療でさえアナログであるというのが日本の実態である。

　今後は医者のＩＴ教育が必要である。

医学部に入る人のカリキュラムだけでなく、すでに医師免許をも持っている人も、現在のように一度取得すれば一生その医師免許でやっていけるようにするのではなく、時代によって求められるスキルが変わるので更新制度にして、更新のたびに試験ではなくて、せめて講習を受けることを必須にするなどの改革が必要である。

オンライン診療になれば病院の収支が改善するだけでなく、ひとつの病院が診療する範囲が自分たちの街だけでなく、離島を含めた全国に広がる。ＶＲなどを活用して視力検査や眼科検診もオンラインできるようになる。

コンベンション

階層別課金制度でビジネスチャンスは拡大

ＡＣにおいてコンベンションや会議はいったん減る。だが長い目で見れば科学技術は発達し、コンベンションや会議の収支は圧倒的に改善する。それはロジスティックコンサルタントなどを活用して、きちんと対応できるものは発展すると前章で述べたとおりだ。

そこには今までになかった新たな業務が多く発生する可能性がある。そしてそれはビジネスチャンスとなり広がる。中でも個別管理の技術がもっと発展することであろう。

そのひとつとして参加者を階層別に分けて課金制度を設ける。それにより複雑な課金のしくみを個別管理と複合する必要が出てくる。ＩＤとパスワードの配布は一括管理し、参加者が地方や海外にも広がるのであれば更に細かく管理しなくてはならない。

主催者の立場だけでなく参加者目線で物事を見るのであれば、我々も日本にいて海外の学会に参加することも可能になるし、興味のあるテーマの最新の情報を得ることができるようになる。

人気のある講演であればたくさんの人がお金を払って聴講するだろう。もしそうなれば莫大な収入につながる。例えば聴講だけに頼っていた時代には考えられなかった○○先生の発表は世界で10万人が見ている。収入は一億円を超えた。などということが起きる。少なくともYouTubeにしてビュー数を収益化するだけでも相当な利益になる。

さらに人気のあるプログラムや発表の論文などを重ね売りで販売することもできる。もっと言えばその研究にいたった実験装置などを画面上で紹介して重ね売り、関連研究の論文の販売なども含めて多くのビジネスチャンスが広がる。マーケティング的には宝の山なのである。

ユニークベニュー開発が進む

ＡＣの世界では、ユニークなベニュー（会場・開催地）などの可能性も広がる。コンベンションがオンライン開催を率先することで参加者がオンライン上で広がることになるため、発表者が城や海岸などをバックにスピーチしたり、大会場でなくレストランなどから発表するなんてことも今後起こりうる。

当然、ベニューを開発するといった新たな仕事も増えるであろう。観光地やレストランなどのベニュー側から売り込みに来る場合も考えられる。医学系の学会であれば、ベニューとして手術室を利用するのもユニークである。手術室からのリアルな実況で学会が行われるなど、科学の発展に寄与することこの上ない。

もちろん通信障害が起きないということが前提での話だ。そうなると研究者の必須アイテムとしてオンライン回線を充実させた設備が必要となる。そしてそこには複数のモニターを駆使できる個別の研究室が拡充されなくてはならないであろう。

宴会場の施設もこれまでのように多くの人が集まり、様々なレイアウトができるということが主眼ではなくなってくる。ＡＣの時代ではＶＲ設備が充実しているところが選ばれるようになる。発信の拠点として設備が成り立っているかどうかで会場の利用があるかないかが別かれることになるだろう。

今後のコンベンション会場選びは、施設や設備の充実度、ユニークさなどが決め手となる可能性がある。いずれにしてもオンライン環境に弱い施設は使われなくなってくる。そして独自サーバーを確保している施設が強くなる。

場所だけでなく時間においても変化が出てくるかもしれない。通常のコンベンションは朝9時から夕方まで開催になることが一般的である。さらに大きな会場では、複数のコンベンションが同時開催されることが多いので交通やランチなどが激しく混み合っていた。

しかし今後深夜開催など周りを気にせずに開催出来る新たな運営方法も出てくるだろう。会場費が深夜で安くなる分をバス代などその他の費用に回したりできるので効率が良くなるかもしれない。新型コロナウイルスの発生がコンベンションや会議運営の新たな可能性を刺激している。

第一次産業

マッチングビジネスの拡大

第三次産業であるサービス業が今回のコロナ禍で大打撃を受けた。同時期に第一次産業は農繁期の人手として期待していた海外からの研修生が来日できなくなった。結果的に都会では人が余り、農家では人手不足に陥った。

そこにマッチングサービスの大きなチャンスがある。今まで何故このようなマッチングがビジネスとして実らなかったかと言うと2つの理由がある。1つは都会では時間給、月給の考え方で残業や休日出勤そして年休などがある。ところが第一次産業は年休や残業などの考え方がない。だから人材の交流をする以前にルール作りが必要となるので実りにくいものとなっていた。

2つには農家や漁業、林業はインターネット時代から遅れていることが多い。都会の中では募集媒体を読まなくても、どこで人手不足が起きているかSNSなどでも肌で感じることができるが、田舎からは発信されないのでわかりにくい。高齢化の影響も出ている。

第一次産業と第三次産業の従業者のマッチングを成功させるのに大事なポイントは、それぞれのホテルや旅館、観光産業を離職せずに、農繁期と言われる時期だけ給与を第一次産業に払ってもらいながら出向させるのである。つまり仕事を鞍替えさせるのではなく農業に人材を貸し出すような形式をとる。そのメリットは従業員を解雇せずにすむことである。

第一次産業と第三次産業は業務が大きく違うので、出向者の不安を取り除くことと条件をきちんと詰めることが重要となる。拘束時間や職場環境の確認、休憩時間や作業量を事前に把握する必要がある。

第一次産業は労働集約型の場合が多いので残業や休日の考えがない場合も少なくない。第三次産業の給与の設定方法とは異なるので新たに設定方法を考えなくてはいけない。また宿泊などを伴う場合、ホテルなどがないエリアも多いので民泊となる場合の住環境やＷｉ－Ｆｉなどの提案も含めてエージェント業務が多岐にわたる。内容としては専門家の介入も必要かもしれない。

第一次産業の人口は１９５２年１６８９万人だったが、２０１９年には２２２万人と１４６７万人も減少しており不足人数が深刻になっている。会社によっては第一次産業の副業はＯＫとなるところも出てくるかもしれない。

マッチングの可能性は産業間だけではない。同じ第一次産業の従事者でも収穫の時期が異なるのであれば他県への応援なども可能だ。人手不足の地域を渡り歩くプロの農家や漁師が今後現れるかもしれない。それは情報の共有を支援する会社やアプリなどの開発にも影響してくる。可能性は無限大だ。

スポーツ

技術の進化についていく

スタジアムなどに足を運べない、行っても人数に制限がある。そうなると入場料収入が激減してスポーツ・コンサートの未来について不安が残る。それを解決するのは５Ｇ時代のリモートによる新たな観客層の開拓である。

リモート観客はＶＲなどを使いフィールド上の選手の間近で試合を観戦したり、ステージ上でコンサートを楽しむこともできる。客席から見る以上に入場料を払うメリットが生まれる。そしてスタジアムやコンサート会場のように人数制限がない。つまり1試合、観客１００万人で入場料収入１００億という時代がネットの進化で起こりうる。

上級者になってくるとボタン１つで過去の成績や傾向なども

見ることができる。Ｆ１などのレースではドライバー目線でコースに立つという体験もできるかもしれない。

課金の仕組みも進化するだろう。通常はスタンドから見る料金であるがフィールドに出るなら追加いくら、ゴールキーパー目線ではいくら、のようにその目線での視聴を購入する。試合をするたびに、その試合が面白ければ面白いほど金額が動くようになる。

ＴＯＴＯ（スポーツくじ）のような賭けももっと進化する。試合のスコアだけでなくＰＫになった瞬間、画面上にＰＫの掛け率が出てきて賭けが始まるなどの仕組みも面白い。技術の進化によりスポーツはもっとおもしろくなる。

eスポーツの発展

伝統的なスポーツとｅスポーツは本来別のものであったが、それも今後は融合されてくる。例えばサッカーチームである鹿島アントラーズにはｅスポーツチームができた。ＪＦＡ（日本サッカー協会）が２０２０年４月にサッカーゲームのｅ日本代表を初めて選出した。その選手が鹿島アントラーズのｅスポーツ選手から選ばれた。ウェブ・ナスリ（本名青木太一）選手である。

海外では1つのクラブが2名から3名のｅスポーツの選手を抱えるのが当たり前になってきている。アメリカではｅスポーツ選手に専属シェフを付け、栄養を管理する例もある。今後は映像設備を備えた、トレーニング用の部屋を自宅に完備する時代が来る。

アプリの開発だけでなく5ＧやＶＲの進化により可能性も広がる。ＶＲを使ってトレーナーが隣に存在してトレーニング指導を受けることもできるようになる。サッカーなども部屋にいながら仮想の空間でネット参加の友達と試合できる時代も来る。野球なども部屋でバットを振るだけで仮想空間ではヒットになったり三振したりする。ｅスポーツは地理的なことも関係ないのでアフリカの友人と試合できたり、どこからでも参加できるから裾野が広がる。

ＶＲ独自のルールの改正もされるし、ＶＲ対応バットなど様々な機材も新たに開発される。参加者が無限なので事務局業務などの新たな仕事もできてくる。まるで産業革命の時に車の修理工やパンク修理などの新たな仕事が出てきたのと似ている。新たな産業革命であるとも言える。実際ｅスポーツの大会では新しい取り組みがスタートしている。２０２０年の3月に東京渋谷のベルサール渋谷で２０００名を収容して行われるはずであったＲＡＧＥという世界大会は実際の大会を中止し、仮想空間の大会に切り替え1万人が参加した。

参加者はいきなりスタジアムに入るのではなく、専用ドームの入り口から入っていくことでリアル感を出した。仮想空間を移動するのは自分の分身のアバター。このアバターを基点に、頭上にある吹き出しに選手への応援メッセージを投稿したり、拍手マークなど画面上に表示された複

数のボタンを使って感情を表現したりできる。さらにリアルの試合での醍醐味である他の観客との一体感も味わえるのも特徴だ。
仮想空間の会場を訪れている他のアバターについて、自分の周辺にいる50人までを視認することができ、互いに会話も可能だ。友人が参加していれば仮想空間で落ち合うこともできる。リアルの世界では不可能な屋内での花火の打ち上げもあり、リアルを超えるエンターテインメントが売りだ。
コンサートの世界も面白い技術が出てきた。NTT西日本グループは、イベント会場数カ所に360度カメラを配置し、視聴者が自分の好みに応じたアングルで映像を楽しめる「REALIVE360」を提供している。
リアル公演ではチケットが入手しづらい最前列の客席のほか、舞台の両サイドや天井にカメラを設置。視聴者は自分が見たいアイドルなどがよく映っているアングルを選ぶことができ、アングルは公演中に何度も切り替えることが可能だ。

ＮＴＴ西日本の担当者は「カメラマンが撮影した映像はどうしてもそのカメラマンのバイアスがかかってしまう。視聴者がアングルを自由に選択できれば、リアルでは見られなかった映像も見ることができる」と強調する。今後は大人数のアイドルグループのライブで自分が好きなメンバーをずっと見ることができるサービスも検討している。

サッカーや野球などのリアルスポーツの世界も技術革新が急激に進む。世界中でプロスポーツの無観客試合が始まっているが、遠隔でのファンの応援をどうコンテンツに取り込むかの創意工夫が活発になっている。

パナソニックが実用化を目指して開発中なの

は、遠隔から声援を現地に届けられる「チアホン」という名の腕に付けるリングだ。親機と子機で1組で、自宅からテレビなどで応援する人が親機を、競技場に足を運ぶ人が子機をそれぞれ手首に付ける。電話のように遠隔で応援している人の声が子機に伝わって競技場の選手に届くという仕組みだ。声が子機に伝わって競技場で発声すると、同時にリングも光るようになっており、声と光による応援を離れた場所から届けられる。つまり1人が大勢の声援を受けて応援に行けることができるというわけだ。

実はこのような仕組みは今までコンサートにいけなかった地方の人々や交通費が確保できなかった若年層の参加を大きく刺激する。赤字運営どころか今以上に参加者が拡大する可能性が見えてきた。

生活習慣

ドライブインシアターの成功

映画館への立ち入りが規制されたアメリカで爆発的に広がったのがドライブインシアター。元より恋人たちが使っていたが、今や友人や家族でも使うようになってきた。人と人との距離が必要になったＡＣ。ソーシャルディスタンスが確保しやすいこともあり広がりを見せた。

さらにはカーホップと言われるサービスまで出てきた。これは窓に簡易テーブルを取り付けてマスク姿の従業員が食事を運ぶサービスである。

集会が禁じられた全米でも自動車での集会に限り許されるようになった自治体が相次いだ。５月には

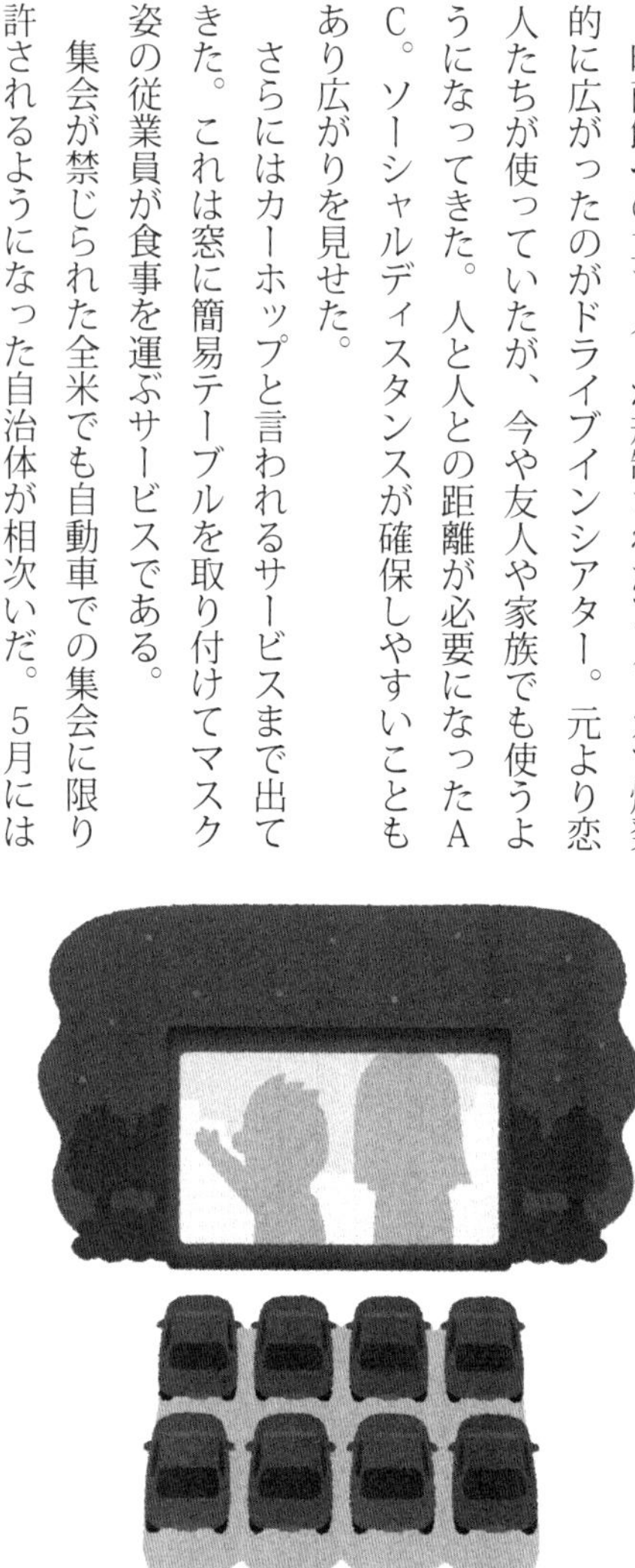

各地の高校や大学では多くのドライブスルー卒業式が行われた。

アメリカに約330あるドライブインシアターの再開も驚くべきスピードで進んでいる。新型コロナで死者が増え続けているニューヨークですらヤンキースタジアムが2020年7月から駐車場を映画上映やコンサートで使うようになる。

この流れは日本でも起こりそうだ。ただ都会には駐車場がないことから難しいのかもしれない。地方から先がけて発信されるのであれば地方の活性化にもつながる。

民泊の意外な健闘の中に商機のヒント

ホテルや旅館が軒並みに悲鳴を上げている中で民泊が大健闘した。前年比80%を維持しているところが多い。理由がまた驚く。テレワークになった人が使っていることが多いのだ。

元より人が住んでいた所を貸しているのだからホテルと違ってＷｉ－Ｆｉは無料で常設なところが多い。それにしっかりとしたデスクが置かれ、椅子なども利便性を重視した物が置かれている。つまりテレワークにうってつけの場所だったのである。

さらにこれも目からウロコであるが、ホテルと違い郵便物や宅配をフロントを通らずに直接受け取れる。つまりプライバシーも完全に守ることが出来る。ホテルと違い掃除が入らないが、それが返って自宅感覚もあるようである。

テレワーク利用者だけでなく医療従事者が長期滞在する場合も多く使われる。元より家であるから長期滞在が可能な設備があるので、ホテルなどよりも使いやすいのである。

このテレワーク可能、デスク環境の充実、プライバシーの管理、長期滞在可能ということが大きい。ホテルや旅館の今後の指針にもなるだろう。

さっそく新たなビジネスが出てきている。全国の提携物件に定額で住み放題のサービス「アドレス」というサービスだ。電気代・ガス代・水道代全て込み。敷金・礼金・補償金などの初期費用は一切なしで、何度でも移動可能というサービス。Ｗｉ－Ｆｉ、寝具、キッチン、調理道具、家具、洗濯機、アメニティが全拠点に完備。同伴者も無料で滞在可能。家族（二親等以内）・固定のパートナー1名は追加費用なしで個室利用ＯＫとかゆいところに手が届く。参加者はリゾートや田舎、都会などを転々としながら過ごすことが多い。まさしく新しい形の生活様式だ。

教育

海外留学のルネッサンス

9月入学になったら欧米の入学と足並みがそろう。留学と言えば今までは大学に1度入ってから考えることしかできなかった。高校3年生になれば大学受験は今までのように国公立か私立または専門学校という3択であった。9月入学が可能となれば海外留学という選択肢が増える。

中国や韓国に日本が追い付かれた大きな原因が留学という選択肢を選ぶ日本人が少なかったことである。自分達だけのルールではグローバル化にはついていけない。ガラパゴス状態である。

現在9月入学の国はアメリカ、カナダ、イギリス、フランス、スペイン、ベルギー、イタリア、トルコ、モンゴル、ロシア、中国、香港、台湾。日本人だけではなく海外から日本に留学する人にとっても来やすくなる。

9月から学校開始の場合3学期制となる。春休みが4月中旬、夏休みは6～8月になり、冬休みが12月中旬から1月頭にかけて。またミッドウィンターブレイクと呼ばれる休みが2月中旬にある。受験は6月前後、夏休み後に入学式というスケジュールになる。

新卒の採用が4月に慣れているので採用の時期が変わることへの抵抗は大きいが、長い目で見れば国際的な人材が増えて行くことでグローバルスタンダードに近くなる。留学コンサルタントや不動産業なども日本だけでなく海外物件を紹介できるようになり、経済活動もいっそうとグローバル化が進む。

大学の在り方

新型コロナウイルスのワクチンや治療薬の研究や開発で海外の大学が利益をあげている中、日本の大学はあまりにも利益をあげる仕組みがない。これでは日本は世界の大学間競争から置いていかれるだけでなく、大学が国家戦略の中で価値を生み出す存在でなくなってしまう。日本で最高学府と言われている東京大学の国から支給される運営費交付金は2018年度、760億円であった。それ以外に産学連携で得る企業からの委託金や特許収入、寄付などで600億円超の資金を調達している。合わせて1360億円。これが東京大学の実力である。もちろん日本の大学では群を抜いている。

一方、海外の一流大学は確固たるマネジメント体制を維持している。スタンフォード大学では年間予算は122億ドル（約1兆3000億円）。大学執行部が各教員の研究業績や競争的資金の獲得状況、研究室にかかるコストを定期的に把握し、教員に獲得する外部資金の目標額を設定する。

目標達成へのアドバイスも欠かさない。大学側から与えられた目標・役割をきちんと果たせば結果的に自分たちの研究環境の充実につながることを理解しているため、教員たちも緊張感を持って期待に応えようとする。

組織的なバックアップを通じて大学全体の財務基盤を強化する戦略がそこにはある。こうした大学全体の価値向上に向けた取り組みが機能すれば寄付金も集めやすくなる。

米ハーバード大学は4兆円近い基金を持ち、基金が生み出す運用収入が大学を潤すという好循環が出来上がっている。シンガポール国立大学では、大学が集めた外部資金に対して国が1．5倍の報奨金を出す。この4兆円がスタンフォードだけのことではない。ハーバードやカリフォルニア大学、MITなど他にも多くの大学が同じように1つの国のように機能している。

日本も大学任せにせず、国が寄付税制を変えたり資金獲得の後押しとなる制度が必要だろう。学内で研究されたことを民間や国へ交渉してロイヤリティをもらうことや、さらに進化させることが日本ではできていない。

映画学科で有名な南カリフォルニア大学は学内にピクサーを誘致して、映画産業の技術だけでなく撮影スタジオとしても成立させている。そこで作られた映画がヒットすると大学にマージンが入るなど、日本にはない取り組みがたくさんある。

ＡＣでは様々な取り組みができるようになるだろう。それはオンラインなどによりグローバル化していくことで、海外の一流大学のマーケティングを学ぶようになることが大きい。知財戦略が甘い国は伸びない。大学は学びの場だけでなく、開発して製品にして総合的に収益をあげる仕組みを日本の大学も欧米を参考にすべきである。

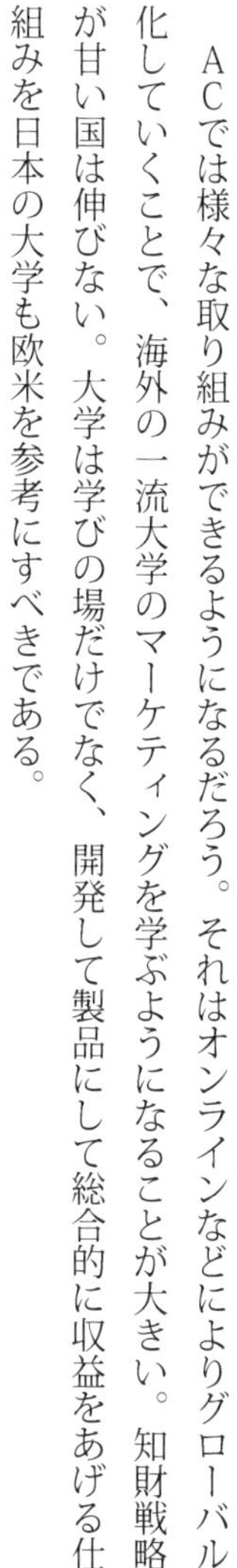

ビジネス

従業員シェア

従業員シェアのエージェント会社が動き出した。一般社団法人「災害時緊急支援プラットフォーム」が２０２０年５月から始動している。同法人で出向のマッチングやノウハウの提供を進める予定だ。現在は災害時としているがこのビジネスプランは災害時だけでなく平時に広がるだろう。

ＩＴ企業などのＣＴＯ（最高技術責任者）らが集まる一般社団法人日本ＣＴＯ協会（東京・渋谷）も、会員企業間で出向によるＩＴ人材のマッチングを始めた。もう就業規則に副業禁止と書く時代は終わった。

前章で自社を派遣会社として登録を始めたワタミの例を出した。このワタミの自社に派遣のライセンスを持たせるやり方は拡大していく。そうすれば、ホテルであればホテル業務がダメな時は別の業務に就けることができリスクヘッジができる。

ただもったいないのは、自社グループだけで使いまわすためのライセンスならば宝の持ち腐れである。人材派遣のライセンスの良いところは仕事を開拓営業できるところである。完全別業種にて隙間を埋めることができれば日本全体がもっと活性化する。

この部分をどのように強化するかは専門家を導入して体制を整えると強固な組織ができる。このやり方もマスターすれば、自社とまったく関係ない業務に閑散期は社員を送ることで社員のスキルアップにもなるし、自社が将来組みたい会社に営業して人を出すこともできる。可能性は無限大である。

ワークシェア

ワークシェアは似ている業務、もしくは他の業務と応用の効く業務を同じ人物ができるようにするという最新の考え方だ。業務が似ているのであれば、自衛官、警察官、警備員などは同じスキルが生かすことができる。同じくタクシーの運転手、配送業者も車を運転するというスキルを活かせるのでワークシェアできる。

食品物流大手ムロオ（広島県呉市）は日の丸リムジン（東京・文京）と組み、日の丸のタクシー運転手がムロオの物流拠点で働く運転手のワークシェアを始めた。就業規定を変える必要があるが、乗客の少ない朝から昼は配送をして夕方からタクシーに乗り換えるなどの業務が可能である。

そもそも1人に1つの仕事だけというのは時代の進化に合っていない。イタリアンのシェフが昼間は給食センターで給食を作るというワークシェアも面白い。消防士が身体を鍛えるだけではなく、ジムを消防署併設で運営するなどもワークシェアと言える。

接触検知アプリの普及

スマートフォンで新型コロナウイルスの感染者との接触を検知するアプリの導入が60カ国以上に広がっている。接触検知アプリはスマホのブルートゥース（近距離無線規格）を使い、感染者との接触を知らせるタイプが主流だ。

まず接触履歴のみ収集する国と位置情報も把握する国にわかれる。接触情報のみの収集している国は日本やドイツ。プライバシーの保護が強い国は政府にデータが集められていないので接触履歴も追いにくい。そもそもマイナンバーが全員加入していない日本では難しいという問題もある。シンガポールやフランスは政府にデータが集約されており、人を追いかけやすいし特定しやすい。それでも接触情報だけである。

ＧＰＳの情報を管理する国も2つに分かれる。政府にデータを集めない国と集める国である。集めない国はアイスランド、イスラエル、フィリピン。集める国はインド、中国などである。特に中国は接触情報もＧＰＳも管理しているので追いやすい。ただここまで管理されて住みやすいかは疑問である。

アプリを入れたスマホ同士が近づくと自動的に接触データが蓄積される。感染者が出るとデータを遡り、過去2週間で接触した人に通知する。外出の自粛や医療機関の受診を促し、感染の拡大を食い止める。

こうしたアプリは2020年3月にシンガポール政府が開発して注目され、世界に広がった。英法律事務所のリンクレーターズによると、5月14日時点で世界40カ国・地域で導入された。もちろんプライバシー侵害の懸念はある。先行したシンガポールでは利用者の電話番号の登録が必要で、データは政府が管理する。個人監視につながるとの批判もある。

一方で感染防止の効果を重視し、より多くのデータを集める国もある。中国やインドなどのアプリは、GPSで位置データも把握。利用者の細かい行動履歴を追跡できる。感染者や接触した人の行動パターンがわかり、政府は予防策を立てやすい。その反面いつどこで誰と会ったかなど日常生活が政府に筒抜けになる。

香港も同じ対策を取られているが、中国方式は病気を追いかけるという大義名分が別の使われ方をしていると恐れられる。アメリカは州によって対応が違う。ノースダコタ州やユタ州の保健当局は位置情報を使うアプリの利用を推奨している。

いずれにしろこの検知方式が実効性を示すのは少なくとも6割以上の使用者がいないと意味がない。一部だけで監視しあっても意味ないのである。

サプライチェーンの日本回帰

新型コロナウイルスの感染拡大は中国に生産拠点や部品調達を依存しすぎた日本経済の危険性を明確にした。医療用品の輸出管理を強化して、いわゆる「マスク外交」を展開した隣国の姿には共産党独裁国家の本性を感じた。

複雑にからみあった工業製品は途中の部品が1つでも抜けると完成できなくなる。今回国家間の往来ができないことがグローバル化に冷水を浴びせた。

政府・自民党内でも同様の認識が広がっており、2020年度補正予算案にサプライチェーン(部品供給網)再編支援として計2435億円を盛り込んだ。具体的には2200億円を中国から日本にUターンする企業に、残りは東南アジアなどの第三国に生産拠点を分散化する企業を支援する。中小企業に移転費用の最大3分の2、大企業に2分の1を補助する。

これまで日本企業は「政冷経熱」の言葉にあるように、日中の安全保障関係が厳しい中でも経済関係は別次元ととらえてきた。財務省貿易統計によると、日本の対中国輸出は2018年に計15兆9000億円(対前年度比6・8%増)、輸入も19兆2000億円(同4%増)となっ

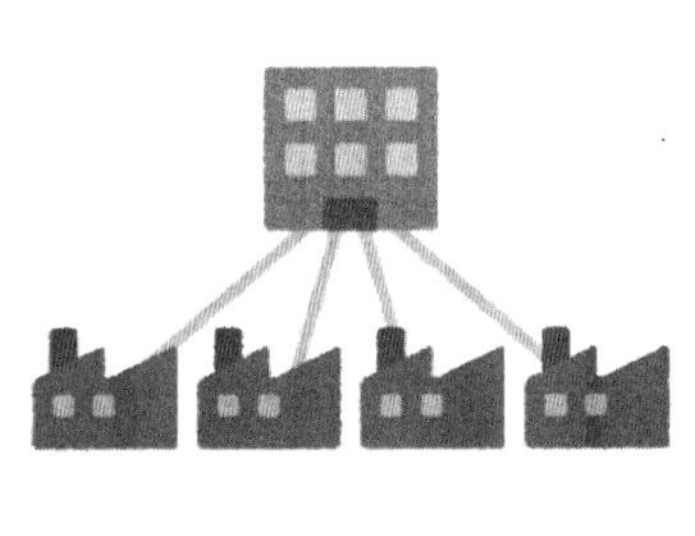

ている。

ここで困ったのが中国は5Gで世界をリードしかけている。つまり今度の動きに5Gの行方も含まれている。5Gで中国が主導権を握るのであれば離れるべきでないが、そうでなければやはり生産は日本で行わないといけないという日本政府の強い意思を尊重したい。災害があるたびに生産が止まる国であってはいけない。

技術革新

今後は新たな技術開発も進む。「タッチ革命」「クリーンテック（技術）」「自己表現」「IoB（体のインターネット化）」などがそれだ。

欧米では、あいさつの握手が肘を突いたり足を合わせたりするしぐさへ変わりつつある。接触を減らす、まさにタッチ革命が始まったと言える。

次にクリーンテックだ。これは太陽光発電のように再生不能資源を消費することなく従来と同じ効果を生み出す技術のことを言う。例えばマイクロソフトが開発した声を出さずに音声入力を行う技術などがそれだ。人類の動作を根本から見直すことで、息を吐かず、吸って発声する方法を思いついた。訓練すると周囲に聞こえない声を出せるという。この声を認識する技術も開発した。音声で機器を操れば触る必要はない。開発の狙いは小声での音声操作だったが、飛沫を飛ばさない技術にも有望だ。

ウイルスを紫外線で除去する技術も開発中だ。元より医療機関には水銀ランプで深紫外線を照らす装置があったが高価だった。それを現在ＬＥＤランプでできるように情報通信研究機構などで進められている。数年以内には量産できる体制だ。

タッチ革命では空中に浮かぶホログラムの画面を操作する技術が開発中。三菱電機は券売機や昇降機のボタン、パソコン画面などを空中に投映した映像で操る技術を開発中だ。ボタンの映像に指先が重なるとセンサーが触れたとみなす。手が汚れる工場での利用を考えていたが再評価された。２０２１年度中の完成を目指す。

自己表現技術はマスクで表情が隠れてしまう今、マスクに笑みや閉じた口の映像を表示して相手に自分の感情を伝える技術が研究中。

ＩｏＢは、つまり人体を監視する技術である。移動履歴や感染歴などの個人情報が他人のために利用される可能性が出てきた。監視だとの意見がある一方で、個人情報を自ら差し出せば人の流れや感染経路がわかり、自分や社会が利益を得るかもしれない。これは制度として全員参加でないといけないがこの技術の開発の難しいところである。

これらの技術は今後の世の中に必要なものとなり技術競争が激しさを増すだろう。

リモート現実化が広がる

新型コロナ期間中に工場で務める人がリモートで機械をコントロールできるように設計し直すことが工場勤務者の中で流行った。そもそもリモート操作は事務職がウェブ上の共有フォルダーを使って業務していたが、工場勤務者や農家までが農機具を遠隔で操作するようになって可能性が格段に広がった。

ＶＲのような仮想現実の世界ではなく現実社会である工場のコントロールパネルと同じものを自宅に設置してリモートで接続することで、出社せずに機械を動かすことができる。工場内の様子はモニターを通じて監視し、自宅で工場の仕事が可能である。

あえてこの技術を「リモート現実」と名付ける。この技術のメリットは大きい。出社時間の節約だけでなく、リモート現実機能を使えば、人間が入れない危険なエリアにもロボットのように入ることができる。

例えば操作のミスで工場で爆発などの事故が起きても本人は離れた自宅にいるので安心である。医療現場の実験などにおいても、遠隔でウイルスの操作ができるのでビニール手袋や防護服を着て行っている事が自宅から安全にできるようなる。

医療従事者が実験する場合は自宅でセンサー付きの手袋をつけると、実験室にいるロボットが手の動きに連動して動く。さらに５Ｇ時代になりヘッドセットを被れば現場にいるような感覚で業務ができるようになる。

　リモート現実が可能になれば身体に障害を持っている人でも多くの仕事が出来るようになる。また海外など遠くにいてもコントローラーさえ持参すればどこからでも仕事が出来る。

　リモート現実は高齢化が進む農家や林業、漁業の世界でも遠隔で操作が可能となり重労働がなくなる。収穫ができずに農作物を廃棄することもなくなるのである。

人材育成

テレワークで企業が進んでいく中課題になってくるのが、企業に人が集まることによりそれがOJT（On the job training）として教育にもなっていたという事実。会社の休憩室でコーヒーを飲みながら他のセクションの仲間とどんな仕事していたのか語り合ったり、飲みながら教えてもらったりするコミュニケーションが消える。営業とエンジニアが意見をぶつかり合うというような昭和的なできごとはなくなる。

そのような習慣がなくなる可能性のある今後は業務以外の能力開発や他セクションとの利害や理解を教えるという業務を外注する事になる。つまり人材育成について今後は社内で行うより外注していく方法が増える。会社のカルチャーはテキストにしてマニュアル化するのが望ましい。

いずれにしてもテレワークでオフィス費用が減り得るものもあるが失うものもある。これは逆に良い機会にもなる。

ＯＪＴ主体の時は誰がＯＪＴ担当者になるかで新人がどう育つか不規則になりがちだった。その教育部分を専門機関がネットや座学などで集中的に教えることで平準化できる。つまり同じ教育の機会を平等に得ることができる。

そしてプロの人材育成機関が営業の教育は営業のプロを使い、ＰＣはＰＣの専門家、経理は経理部または会計士からのようにレベルの高い教育を受けることができる。従来と違い良い人についた人だけが成長するということはなくなる。

完全外注ではなく、社内にＯＪＴに代わる人材教育のセクションを作ることが出来れば企業文化なども伝達できる。いずれにしろ研修が機能的に進むことで、大きく成長する会社が出てくるだろう。

インバウンド

環境省が動き出した

インバウンド需要を喚起するのは国土交通省だと思っていたら、環境省が思わぬ取り組みを始めた。環境省は全国34カ所の国立公園などで仕事と休暇を両立する「ワーケーション」を実現できるように環境整備をする。

宿泊施設などへのＷｉ－Ｆｉなどのネット環境整備や設備改修などを後押しする。つまり「インバウンドさん都会だけでなく、国立公園に来ませんか」運動を始めたのである。

国は国立公園の環境を保護するだけではなく利用との両立を目指している。国立公園への訪日客増を目指し「国立公園満喫プロジェクト」を２０１６年から始め、２０２０年までに年間４３０万人から１０００万人に増やす目標を掲げた。

環境省によると国立公園内の平均宿泊日数は約1・3日にとどまる。ここを長期滞在化しようと図っている。

ワーケーションとはワークとバケーションを組み合わせた造語。職場から離れた自然豊かな観光地などで休暇も合わせて楽しむ新しい働き方だ。アメリカで2000年代に広がった。

環境省は国立公園や国定公園内の施設のほか、全国80カ所の温泉地も対象とする。ワーケーションを紹介する企画ツアーや、オンラインで仕事ができるように通信環境の設備改修などを進める。

宿泊施設を運営する宿泊業者や観光業者らから公募を受け付け、2020年6月末に最大200件の助成先を決めた。まだわずか予算6億円のプロジェクトであるがテレワークの拡大なども あり今後大きく化ける可能性がある。

インバウンドのオンライン化

新型コロナウイルス以前は3000万人が来日しようとしていた日本であるが、国境を封鎖してインバウンド客が入れなくなった。もちろんそのために多くの店がつぶれて、インバウンドに頼っていた経済は終わりつつある。

日本に来たがっていた3000万人の海外の人はどうしているかというと、あこがれの日本にネットで一生懸命アクセスしているのである。

それほど日本には他にはないコンテンツが山ほどある。日本が大雨になったというニュースの中には、大雨なのに町中にごみが浮かんでいないというのが世界中で大きな話題となった。マンホールの蓋のアートが美しいということでも話題を呼んでいる。

我々日本人が考えているよりはるかに世界中の人々は様々な感性で日本を見ているのだ。

ところが残念なことに日本ではまだまだ店の案内にしても記事にしてもSNSですら日本語でしか記載がない。したがって検索に引っかからないのである。

お好み焼き屋が英語のサイトを持っていても、お好み焼きの案内がOKONOMI-YAKI つまり発音をローマ字に直しているだけで、これでは何が出てくるのかまったくわからない。

これを言うのは酷ではあるが、英語の文章が直訳すぎて面白くない。つまり文章がつまらないのである。古民家などの案内も英語でTraditional Japanese House とそのままである。A house whereby Ninjya may be lurking（忍者が隠れていそうな家）など興味をそそられるような表現も時には必要である。

表現力の後進国であるのは仕方ないが、空港封鎖などで現実のインバウンドが止まっている時に、国境の関係ないインバウンドを盛り上げるような機運が欲しい。日本には伝統を重んじ、古いものを大切にする文化と最新の設備を開発する双方の力がある。

新型コロナの期間中にもリニアモーターカーが試運転した。そしてその背景には富士山が控えている。このようなコンテンツをもっとオンラインで発信したい。そしてそれがそのままビジネスになる力を秘めている。インバウンドのオンライン化が待たれる。

観光・宿泊・輸送・旅行業

ブッフェスタイルの新提案

食事中に感染のリスクが高いとしてブッフェスタイルがやり玉にあがった。トングを個別に配るという方法の他にも新たな提案が出てきている。そしていくつかのプランの中で本当に使いやすく、コスト的にも問題ないものがディファクトスタンダードとして残る。そこには新素材や新技術が織り込まれるかもしれない。プランナーという職業も出るかもしれない。

その1つとして新たな発明がでてきてもいる。2020年5月末に宮崎大学医学部と医療機器メーカー日機装（東京）は、同社が開発した深紫外線LEDの照射で新型コロナウイルスが感染力を失うという実験結果を発表した。同様の論文は世界でも発表されていないという。

深紫外線LEDは一般的な紫外線より波長が短く、水や空気を殺菌する効果があるという。宮崎大学と同社は2020年4月下旬、シャーレに入った新型コロナウイルスに深紫外線LEDの光を照射する実験をした。照射時間を30秒と60秒に分けて調べたところ、いずれも99・9％のウイルスが感染力を失う不活化という状態になったという。

もちろん深紫外線は人体にも皮膚がんなどの影響を及ぼすのでさらなる開発が必要ではあるが、イベント会場のカバンや衣類への照射、ブッフェのトングや皿への照射などでウイルス除去の仕組みができる可能性がある。製品化した会社が次のユニコーン企業となるであろう。

PCR検査

終始日本が世界から批判され、かつ遅れているのがこのPCR検査の手法である。今後安全に移動ができるのはPCR検査を無事に終えた人に限られてくる。そうなると旅行、ビジネスすべての移動がPCR検査にかかってくる。

中国は入国時に空港などでPCR検査を実施し、陰性者には14日間の隔離を求めている。国際線を再開するトルコは隔離を行わず、空港で全入国者を対象としたPCR検査をして移動を認める。

日本政府もビジネス関係者や専門家の移動の緩和を検討しているが、PCR検査の国内体制の乏しさが課題になっている。例えばインドネシアは外国人ビジネス関係者の入国を認める一方、自国でPCR検査を受けて陰性証明を取るよう求めている。日本では病状がある人へのPCR検査が優先されており、健康な出国希望者は検査を受けられない。

そのような中で一縷の望みも出てきている。島津製作所とタカラバイオが唾液で検査可能なＰＣＲ検査試薬を開発している。

新型コロナウイルスのＰＣＲ検査では医療従事者が被検者の鼻の奥の粘液を採り検体に用いている。厚労省が鼻の粘液と唾液のＰＣＲ検査精度を評価した結果、唾液でも鼻の粘液とほぼ同等の精度を得られるとの結果を得た。

国立感染症研究所が作成する検体採取マニュアルを改定し、今後は唾液を使った検査も可能にする。健康保険も使えるようにする。

鼻の奥の粘液を採取するには綿棒を数センチ以上差し込む必要があり、患者のくしゃみなどで医療従事者が感染リスクにさらされるという問題があった。感染防護のために医療用の高機能マスクや防護ガウン、フェースシールドなどが必要となり、検査態勢を拡充するうえでボトルネックとなっていた。

唾液の場合、患者自身が容器に吐き出すだけで簡単に採取できる。個室などで自己採取も可能だ。将来的には一般の診療所などでも検査できるようになる可能性がある。米エール大は４月、唾液は鼻の粘液に比べ新型コロナの量が多く感度が高いとする報告をまとめた。

アメリカは唾液による検査の導入が先行している。ＦＤＡ（米食品医薬品局）は4月、米ラトガース大が開発した唾液検査法の使用を緊急認可した。５月には同大による自宅での唾液採取のキットの緊急使用も認可している。

日本医師会は２０２０年５月７日唾液を検体に用いたＰＣＲ検査の実用化を政府に申し入れた。遅い動きではあるが今、唯一の光である。

デジタルトランスフォーメーション

ウォルマートはスマホ注文や在庫管理、物流効率化までアマゾンを徹底研究。２０１６年には新興のネット通販企業を約33億ドルで買収しノウハウを取り込んだ。

デジタルトランスフォーメーションは決してオンライン化だけをさすわけではない。アナログで行っていた業務を見直して、作業そのものをデジタル化することで効率を上げる作業のことを言う。例えば生体認証による個人のＩＤなどの特定作業などがあげられる。

デジタルトランスフォーメーションの成功例としてGoogleによる行政の作業サポートが大きな成果を生み出した。日本でも10万円の特別給付金の対応で行政がパンクしたように、アメリカでも２０２０年４月に新型コロナウイルスの影響で失業保険の申請が殺到し、オクラホマ州の行政の諸窓口はパンクしかけた。作業があまりにもアナログであったことが大きな原因であった。

Googleはオクラホマ政府にＡＩの導入を提案した。結果処理スピードが格段にあがり、１週間の対応件数が６万件と30倍になり、累計７００億円超の給付手続きを終えることができた。

日本の公共事業も重い腰をあげてデジタル化への動きが始まった。国土交通省は公共事業の工程管理を紙の書類や図面からデジタル情報に置き換える。２０２３年度までに小規模な事業を除く全工事の情報を建設会社などとオンラインで共有できるようにする。

国交省で２０２０年5月現在、年1万件規模の工事のうちデジタル化できているのは１００件程度にとどまる。現場作業以外の打ち合わせなどがオンラインでできるようになれば事業を続けやすくなる。

デジタルトランスフォーメーションで成功している国がある。北欧のエストニアである。それこそ小さい政府なのに大きな業務をこなす様は北欧の奇跡と言われている。

エストニアの取り組みを説明しよう。まず政治参加においては２００5年からI-Voteと名付けられたインターネット投票が実施された。オンラインで投票できるだけでなく集計やデータ管理までデジタルのみで行われている。デジタル以外を排除しているので１００％の精度で管理できている。

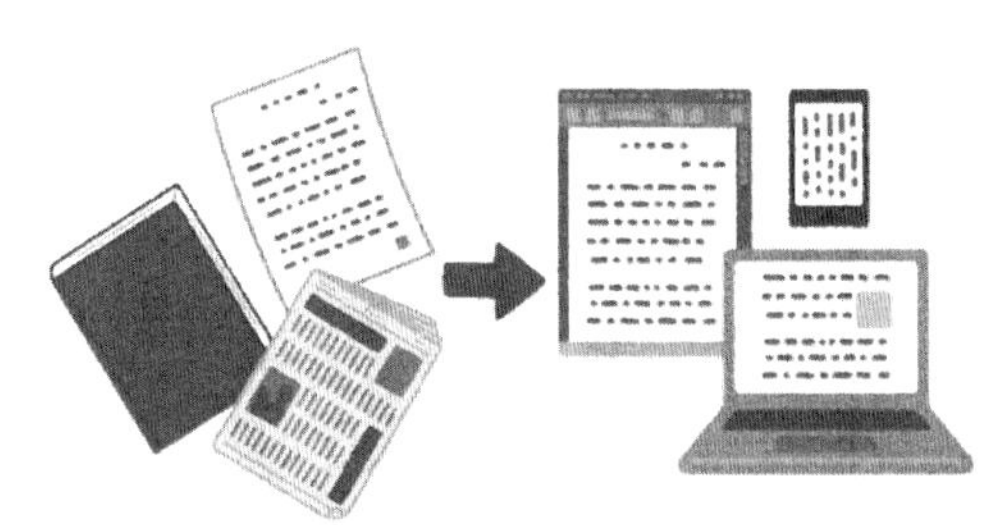

政策参加の仕組みとしてOsaleというポータルサイトを開設し、ここでは法案や提案の提出を誰もが閲覧できる。協議への参加や公聴会にも参加できる。法案審議の進捗も国民は誰もが自分のＩＤで参加可能。行政サービスにおいては、住民登録サービス・居住届・出生届・証明書コピー申請・血縁関係検索などができる。

税金においても電子確定申告で毎年３月に税の明細を行政が作成、市民はポータルサイトから確認し電子署名をもって確定させて還付も受けることが可能。国民の95％が電子申告を利用。窓口で通常は３カ月かかっていたものが３日以内でできるようになった。

平均で３カ月かかっていた作業がわずかの時間でできるようになっただけでなく、業務の精度もあがりさらにデジタル化したことで翻訳なども簡単にできるようになった。最先端の国家として移住者が殺到し、多くの企業がエストニアに会社を移す動きが活発になった。

これらの事を可能としているのはエストニアではＲＩＨＡという管理組織がデジタルトランスフォーメーションを専任している。ここが各省庁のデータベースを管理している。方針はＲＩＡというエストニア国家情報局が政策指導している。

それと比較すると日本はオンライン化はできているがデジタルトランスフォーメーション化ができていない。デジタル化においても専門局がないまま各省庁が個別提案をしている。政策においても政治家が特定の省庁と話をしているレベルで統一感がない。組織作りからまずデジタルトランスフォーメーションを進めていきたい。

展示会が変わる（大型の施設からＶＲ主導）

人がひしめき合い、見学者・バイヤーが入り混じる大型イベント。展示会の概念がすでに変わりつつある。中国最大級の貿易商談会、中国輸出入商品交易会は２０２０年６月15日、初のオンライン開催で始まった。

担当者が特設のウェブサイトを通じて販売も兼ねたライブコマースで商品を説明。自社のショールームの紹介映像はＶＲでも見られるようにした。バイヤーがＶＲゴーグルを持っていれば、商品を体感してもらうこともできるようにした。

関心を持ったバイヤーはネット経由で担当者とのオンライン会議を打診したり、日時を指定して予約したりする。主催者も参加者も手探りのオンライン見本市だが、昨年と変わらず機械や日用品メーカー、商社など約２万社超の出展があったもようだ。

参加者数が変わらないのは驚きであるが、さらにメリットもあるという。通常の商談会より展示商品の搬入と撤収費用がかさまないことだ。

国際見本市連盟などによると２０１８年に世界で開かれた見本市やショーなどの行事数は約３万２０００あり、来場者は３億３００万人に達した。経済のグローバル化に伴い商品やテーマごとに細分化された見本市も増加。１年をかけて世界を飛び回るバイヤーも少なくなかった。

主要な見本市はネットに活路を探る。ドイツで毎年４月に開かれる製造業の国際的な見本市ハノーバーメッセは、今年はオンラインでの開催を決めた。日本では家電・IT見本市CEATEC（シーテック）や東京ゲームショウがオンラインに切り替える。

今後の展示会はどうなるか説明しよう。展示会の開催で今まではもっとも大事だったのが会場を抑えることだった。ラスベガスや上海、シンガポールなど大型の展示会場を持つ都市は経済的にも発展し、関連企業を誘致して街も発展していた。しかし今後は展示会場ではなく、いかにオンライン上で展示会場の作り込みができているかが展示会の参加の優劣が決まる。

参加者にとってもメリットが広がる。1つには待たなくてよくなる。今までの展示会は会場に数万人の人が集まることで、ホテルや航空券が取れないという輸送上のストレスから始まり、人気のあるブースでは人が並んでいて順番がなかなか回ってこないということも起きていた。

今後は参加者が何万人であろうがサーバーの容量の許す限り、何人でも同時にブースの見学ができる。

モーターショーの例を取ると、オンラインの世界では免許を持っていない人でも試乗できる。そしてその市場先などもF1のシンガポール市内やパリ、ロンドン、東京などを選びサーキット走行もできたりする。車の最高速度なども体感できる。

実際の試乗ではエンジンをかけることができないが、オンラインではエンジン音も加速に合わせて聞くことができる。パネルの動きなども設計していれば見ることができる。車のカラーリングもボタン1つで様々試せたりする。

医薬品の展示会であれば、ボタン1つで使用しつづけて1年後、2年後のように時間すら飛び越えて体験してもらうことができる。ファッションショーなどは、ランウエイを歩いている人の服を自分が着たらどうなるかVRで確認してから購入もできるようになる。このように展示会のあり方が大きく変わる。

就活

在宅人材の開拓

今後企業は在宅人材を開拓して、業務の時間でなく内容で評価するジョブ型評価社会になるというのは説明した。だが長年通勤者を中心に雇用していた企業が在宅者を発掘するのに苦労するであろうことは想像に難くない。

今まで採用に至るまでには何度も説明会に通い、その企業への忠誠心を示したものが企業に入るという構図ができていた。しかし在宅人材は忠誠心よりいかにＩＴ能力が高いかが決め手になる。当然ＩＴ能力を図るため、オンライン面接から始まることが増えるので会場に何度も足を運び拘束されることがなくなる。

次に通勤距離と交通費の問題がある。企業も採用者を選ぶときには交通費がどのくらいかかるかも採用の基準の1つだった。2時間かけて通勤する優秀な人材よりも、それよりは少し落ちるが30分の所に住む人が受かった。企業からすれば交通費が大きく節約できるというメリットがあった。それも在宅勤務によって遠方の人であれ近隣の人であれ、公平に実力で選ばれるようになる。

大きく採用の基準が変わる。このような変化に伴い新たなビジネスチャンスが生まれる。ざっと思いつくだけでも以下のようなものが挙げられる。

新たなジョブ制度の規定作りのコンサルタント業務。規則の内容は8時間作業とはこのような成果物となるという具体例を企業毎に作り上げる。その作業の給与額が適正かどうかもチェックし、提案もできないといけない。

それから在宅勤務者のオリエンテーション業務引き受け会社や在宅勤務者の近くのサテライトオフィス。都会に集約していた機能を分散させることでリスクマネジメントにもなるというメリットもある。オフィス一か所に集中し仕事しているのであれば停電や災害などが起きたときに企業のダメージは大きくなるが、拡散していれば全体がダウンすることはなくなる。これは地方創生にもつながる。

大学に就活ラウンジの設置

オンラインでの就活が今後も継続される。そうなると自宅からのオンライン面接やエントリーシートを送付することになる。社会人と違い、大学生はワンルームの部屋に住んでいる人が多い。

地方から来ている学生はそのワンルームに生活道具やベッド、衣類、書籍が詰め込まれている。ネット環境も携帯のみでＷｉ－Ｆｉが部屋にない学生も多い。だからオンライン授業も実情は半数がＰＣでなくて携帯を立てて授業に参加している。授業ならまだしも、オンライン面接では十二分な環境とは言えない。

大学は就職課という課があり学生の就活のサポートをしている。それは大学の就職率がそのまま学校全体の評価につながるからである。そうであるなら大学はＰＣ環境を整えて、背景をシンプルにした就活ラウンジを設置するのが良い。

もちろん個室である必要がある。半数は予約制にして半数は緊急を要する人のために就職課がコントロールするとよい。外資系を受ける学生は面接の画面以外に、検索したり翻訳をしな

がらできるようにPCは2つ必要である。もしくはPCとタブレット型のiPadでも良い。ラウンジにはスキャナーやコピー機、成績証明書の申し込み用紙、卒業見込み証明書の申し込み用紙なども完備しておくとなお良い。書庫も隣接して各業界の情報や企業研究情報も卒業生からの情報も含めて備えておくと合格率が格段に上がる。コーディネイターが常駐してサポートしてあげることで就活生の環境が充実したものとなる。

大学にとっては新たなサービスにはなるが、学生や学生の両親からの評価も上がるので今後はこのような施策がでるものと予想する。そしてそれにより大学のランキングも大きく変わることになる。

個室が並び、Wi－Fiの環境があり複数のPCがあることで、就活生が使わない時間帯や季節はオンラインで学会に参加できるコンベンションルームとしても使うことができる。

政治経済

特区の可能性

日本は規制が多い。その規制は業界団体の利権を守るために起きている場合が多い。そして発展を阻害している。新型コロナウイルスの最中も人が余ったタクシー業界が飲食などのデリバリーを始めようとしたら国土交通省から待ったがかかった。タクシーは人しか運んではいけないという判断だ。

配送会社でも人手不足で大変なことになっている。夜間配達はできないと配送会社からの悲鳴が聞こえる。タクシーが物を運べるようになれば24時間対応できる。

新型コロナウイルス中に大忙しであった薬局も規制によって店舗を増やすことができないでいる。薬剤師1人が1日に取り扱える処方箋は40枚まで。現状では棚出しロボットなどのIT化が進み処理能力が格段にあがっているのに過去の規制のままで薬剤師の数の必要性によって縛られたままだ。

高齢者が新型コロナにかかることも大きく、病院や介護の現場が極端な人手不足となった。介護施設ではロボットや自動化などで介護士1名が看ることの出来る人数を拡大して人材不足に備えようとしているが、ここにも規制がある。入居者3人に対し職員を1名つけることが義務づけられている。これでは最新の技術の意味がない。

規制は思ったより深刻で次世代の産業の核のひとつと言われているドローンにおいて、日本生まれの会社がどんどん日本を捨てて中国に本社を移している。

エアロネクスト（東京・渋谷）のドローンは風速15～20メートルの強風下でも安定して着陸でき、家電見本市CEATECで経済産業大臣賞を受賞した。そんな技術力を誇るスタートアップ企業が飛行実験の一部を山梨県から中国・深圳に移そうとしている。日本は手続きと許可に時間がかかるからだ。

航空法はドローン飛行では、日中で目視の範囲内であること。人や物件から30メートル以上の距離が必要などのルールを定める。規定外で飛ばすには国土交通相の許可が必要で、申請から認可まで10日間以上かかる。包括申請もできるが、民法や道路交通法などドローンに関わる法律は多く実験場所が少ない。

このような規制だらけの日本と違い中国深圳では、10年近く前からドローン実験がしやすい環境整備が進んできた。飛行禁止区域以外なら重量2キロ以下のドローンは都度申請をせずに飛行できる。大型機でも工場の敷地などは申請不要の場も多い。

規制を最小限にしていたため、中国では新型コロナウイルスの感染防止対策にすぐさまドローンを活用できた。深圳に本社を置くドローン世界最大手のＤＪＩは4月までに市街地などに消毒薬を散布。総面積６００平方キロメートルに及んだ。上空から距離を保つようにスピーカーで呼びかけ、赤外線カメラで体温を計測した。

このような規制大国、利権大国である日本で唯一突破口となるのは特区制度だ。例えば茨城県つくば市はセグウエイ特区となっている。日本の他の地域では公道を走れないセグウエイがつくば市だけが自由に使用することが出来る。

日本という国は一度に国全体が変わるのは難しい。国会も会期中に法案が通らなかったら次の会期から一から審議を始めるという無駄なことを繰り広げている。だが、中央ができないことを限られたエリアでは可能にするということは過去からしてきている。鎖国の時代には長崎の出島のみ海外交易を許した特区であったように。

今後は地方に権限を与え、条例などでさまざまな特区を活用し打ち出すようにすればよい。そうなれば東京集中型の日本も、臨床実験特区が神戸市にできれば病院や研究所そして患者も神戸に集まる。無人運転自動車特区が豊田市にできればさまざまな無人運転実験機能が集まる。

日本全体で一度にやろうとするのではなく特区を実験エリアとすれば良い。それぞれの自治体が規制に対する特区を自分たちが検討することができ、未来への可能性が広がる。

司法のオンライン化

日本の司法は時間がかかり遅い。そもそも六法全集の言葉は明治時代の文語のままである。とにかくアナログの世界をあげろと言われたら司法の世界がでてくる。オンライン化への抵抗が強く遅々として進まないが、必ず欧米に追随して変わる。その時に法務というのが大きなビジネスチャンスとなる。

オンライン会議システムが採用されたが、口頭弁論などへの導入は法改正を待つ状態である。海外は書面提出から陪審員の選出まで幅広く活用している。感染の再拡大に備え、日本でもオンライン化を加速すべきだ。

今後のオンライン化で必要な3点は

①訴えの提起　訴状を裁判所に持参か郵送→メール添付などオンライン受付

②口頭弁論、証人尋問　当事者や証人が裁判所に出頭→ウェブ会議

③判決　判決文は郵送か裁判所で受領→判決文をダウンロード

司法統計によると、2020年2月末時点で全国の裁判所に係属する民事・行政訴訟は約42万件あった。処理案件が多いのに何故こんなにアナログなのだと思う。

一部の裁判所も2020年2月から民事訴訟の争点整理にビデオ会議システム「チームズ」を使い始めた。政府が目指す裁判IT化の第1弾で、件数は2月が134件、3月は346件と増えている。3月の名古屋地裁の審理で利用した弁護士は「移動が不要で感染予防にもなる」と話し高評価であった。

だが問題もある。民事訴訟は公開法廷での審理を原則にし、非公開の争点整理も原告側と被告側の一方が裁判所に出頭しなければならない。法律が邪魔している。導入には民事訴訟法の改正が必要であるので早期解決をしてほしい。

海外の動きは早い。オンラインでの申し立ては1990年代にアメリカが始め、シンガポールも2000年に全面導入した。アメリカでは5月、テキサス州の裁判所がズームを使って陪審員を選出した。連邦最高裁も歴史上初めて電話での審理を開くなど柔軟な姿勢が目立つ。

コロナテック

コロナテックという言葉が欧米を中心に出てきた。新型コロナウイルスで社会が変わったことで、新たなビジネスでの起業が数を増やしている。中でも企業価値が20億ドルを超える会社をユニコーン企業と言うが米調査会社のＣＢインサイツによると、２０２０年４〜６月に新たにユニコーンになった企業数は22社。国別ではアメリカが13社、中国が３社。

業種の顔ぶれは大きく変わった。２０２０年の上位はネット・ソフトウエア関連が5社のほか、クラウドを使ったデータ管理や分析、ＥＣ（電子商取引）などいずれも感染拡大を防ぎ、生産性向上につながる業種が占めた。

中国でも同様だ。２０２０年5月にユニコーンになった中国フィットネスアプリのキープは登録者数が2億人に達した。トレーニング動画の再生や運動記録、食事指導などの機能を持ち、感染予防と健康増進を両立する。

経済や社会の激変期は実はスタートアップにとって大きなチャンスだ。２００3年のSARS流行時には中国ネット通販のアリババ集団が急成長した。外出自粛の影響でオンライン通販が一気に普及したためだ。

２００8年のリーマン危機前後にはウーバーテクノロジーズ、Airbnbなどが相次ぎ誕生。車や住居などモノの所有から利用する動きを先取りし、成長の足がかりを得た。

コロナテックによるユニコーン企業アメリカ13社、中国の３社を入れて２０２０年6月末における各国の成長の原点と言われるユニコーン企業の数はアメリカ２２５社、中国１２５社（香港３社を入れる）、インド21社、イスラエル7社、韓国12社となる。そして経済大国と言われる日本はわずかに３社である。コロナテック企業はゼロ。

そもそもスタートアップ企業への投資額が日本は年４千億程度であるのにアメリカは14兆円、中国が10兆円と大きく差をあけられている。新型コロナウイルスを危機として感じて殻にこもるのが今の日本の現状であるが、このような社会の変革期は大きなチャンスであることを感じ取ってほしい。

あとがき

２０２０年の冬に始まり、気が付けば春が通り過ぎて夏になった。その間もずっと新型コロナウイルスによるニュースが止まることはなかった。ただ気が付いたこともあった。大震災の時に余震にだんだん人々が慣れてしまったように、人々は今生活を再開した。

大きく価値観が変わった中で新たな秩序が定着しようとしている。今回の被害は地震のように地域限定でなく世界中に広がったことでそれぞれの政府の評価なども比較されるようになった。

良いことを政府が行えば、それが羨ましいという気持ちもこめて世界を巡り、対応が悪いと嘲笑の気持ちで世界をニュースが駆け巡った。もはや情報の中では世界は1つなのではないかと感じさせてくれた。さらにこのような災害が起きたことで人類は新たな可能性に向かい出しているという事実。

製造業でＶＲなどの遠隔技術を活用する動きが広がっている。ＡＧＣはガラスの試作品を顧客にＶＲで評価してもらう手法を拡大。米半導体大手のマイクロン・テクノロジーは新工場のシステム整備を遠隔で行う。自宅にいながら工場をＶＲのヘッドセットをつけて工場にいるときと変わらずに業務ができるようになっている。

航空機エンジン大手の英ロールス・ロイスはビジネスジェットを扱う航空会社向けに、VRを使ったエンジン整備の教育制度を4月から始めた。航空会社の整備担当者がVR端末などを装着。講師役であるロールス・ロイスの社員が遠隔で整備の手順やノウハウを教える。旅客機向けではカタール航空などで導入済みだ。

これがもし進化していけば、工場を土地の安いところにコストを抑えて設立し、都会の工場勤務者が遠隔で仕事をするという未来が可能になってくる。

このような未来を身近に感じるきっかけになったのが新型コロナであることは、ウイルスの出現を人類進化の糧にすることもできうるということだ。

元々人類の進化は6500万年前にユカタン半島に落ちた大隕石によって恐竜が滅んだことから一気に進んだ。大きな災害はそこを乗り越える事でさらに進化することが可能になる。

願わくは世界が1つだということに人類が気付いて、各国が自国の利益だけで動かない新たな仕組みも自分達で生み出すように、政府も同じく進化してもらえると良い。人類の可能性がさらに広がる事に期待をして筆を置きます。

高橋フィデル

ACアフターコロナ　新しい時代の新常識

2020年9月21日　第1刷発行

著　者　高橋フィデル
編集人　宮﨑 博
編　集　秋葉 杏
発行人　高橋フィデル

発行所　JAPAN VISITORS BUREAU（株式会社ジェイブ）
〒150-0001　東京都渋谷区神宮前3-32-6　デュオ表参道　104号室
TEL：03-6826-6666　FAX：03-6825-1234
http://www.jvb.co.jp
　ISBN978-4-908166-27-3